CB001939

Isa Colli

O Recomeço

A vida é um eterno recomeço

2ª edição

Brasília, 2019

Copyright© by Isa Colli

Revisão
Fernanda Caldas
Silvia Parmegiani

Edição:
Alessandra Domingues
Sérgio Alves

Apoio Editorial:
Gláucia Ferreira

Ilustração e Diagramação:
Milena Souza
Mariana Fajardo

Apoio Editorial:
Gláucia Ferreira

Financeiro:
José Alves Pinto

Direção:
Renato Inojosa Coutinho

C672r Colli, Isa
2.ed. O recomeço / Isa Colli. – 2.ed. – Brasília:
Colli Books, 2019.
208p. :il. 14x21 cm.

1. Literatura brasileira. 2. Drama. I. Título.
CDD 869.93

ISBN: 978-85-54059-33-0

Impresso no Brasil – 2019

Texto fixado conforme as regras do Acordo Ortográfico da Língua Portuguesa (Decreto Legislativo nº 54, de 1995).

Este livro nasceu da vontade de levar esperança às vidas de pessoas portadoras de doenças graves. Posso afirmar, com todo o amor do meu coração, que nunca estamos sós; que Deus sabe e faz tudo ao tempo e hora certos. Estou convicta de que um gesto de solidariedade pode provocar uma verdadeira revolução à existência do nosso semelhante e tornar a nossa própria jornada muito mais suave. A linguagem do amor é universal e a caridade, essa sim, verdadeiramente poderá salvar o planeta.

Só posso agradecer a Deus pela inspiração e a oportunidade de compartilhar com vocês um pouco da minha dor, luta e superação.

Isa Colli

Dedicatória

Dedico este trabalho primeiramente a Deus, o alicerce da minha vida, pois sem Ele essas ideias não passariam de ideias.

Aos meus pais, não somente por me concederem o milagre da vida, mas por serem meus mestres e orientadores na formação do meu caráter, ensinando-me a viver com princípios, dignidade e respeito ao próximo.

Aos meus filhos Valdeir e Philip, por permitirem a materialização das melhores emoções da minha vida e me fazerem descobrir o verdadeiro sentido da existência humana. Através deles, percebi que ser mãe vai muito além da poesia. Eles encheram meu coração de alegria! O abrir dos olhinhos, as primeiras e incertas passadas, o sussurrar das primeiras letras. Ser mãe desses garotos lindos – toda mãe acha os seus filhos lindos – é inundar-se de alegria todos os dias e viver mergulhada em um mundo de ricas aventuras.

A José Alves, meu marido, que fez todo o possível para me ajudar. Acompanhou-me na fase das pesquisas, incentivando-me nos momentos mais difíceis. Apoiou-me quando eu desanimava e suportou-me quando estive insuportável. Acima de tudo, aconselhou-me constantemente com firmeza, expressando o seu amor, fazendo-me um imenso bem pessoal.

Sumário

Prefácio

Que minhas primeiras palavras sejam para explicar por que este livro foi escrito e a maneira como ele se apresenta.

Ele não surgiu, evidentemente, de nenhuma inspiração momentânea. Pelo contrário, é fruto de uma história de vida, de sofrimento e de amor ao próximo.

Quando se ouve um médico falar a uma pessoa querida "Sinto muito, mas seus exames acusaram um câncer e precisamos iniciar o tratamento imediatamente", surge um sentimento que mescla impotência e uma imensa necessidade de superação.

Quando essas palavras foram ditas aos meus avôs – paterno e materno, ambos acometidos por câncer –, a família se deparou com duas situações igualmente difíceis: uma nos levava à consciência das nossas limitações; a outra nos impelia a buscar nossas forças e direcioná-las para vencermos os obstáculos que se apresentavam. Ambas importantes para que tivéssemos equilíbrio e conhecimento, mantendo-nos alertas e esperançosos ao mesmo tempo.

A frase pronunciada pelo médico especialista ecoa na mente de todos repetidamente por um longo tempo. Percebemos, então, como somos vulneráveis e como é preciso estarmos atentos aos sinais que nos são oferecidos todos os dias. Oferecidos? Sim. Se estivermos conscientes de nossa "finitude" e da importância da nossa breve passagem por este mundo, tudo que se desnuda à nossa frente para nos tornar melhores e mais humanos é especial; basta termos o olhar desprendido e límpido para tentarmos compreender o que se passa ao nosso redor e tornar as nossas experiências em uma bela história de vida.

Nesses últimos anos, convivi com muitas pessoas portadoras de câncer. Eram de todas as idades, com tipos e graus da doença bem diferentes. Muitas sabiam que as suas vidas seriam abreviadas, mas, mesmo assim, possuíam um otimismo e uma esperança que poucos têm, mesmo gozando de plena saúde. Aproximei-me dessas pessoas de maneira especial, porque precisava compreender o que as fazia ter um comportamento tão intrigante, ao mesmo tempo em que não poderia me envolver diretamente nos seus dramas.

Um fator era comum em todos esses casos: a família e o amor estavam presentes. Todas essas pessoas eram cercadas de um enorme carinho. Voltei, então, meu olhar para aqueles que tinham chances de cura. Selecionei os que sorriam com mais facilidade e que transbordavam esperança. Novamente ele, o amor, estava lá: dos amigos, da família, dos profissionais. Na minha busca por respostas, decidi achegar-me àqueles que, por várias razões, eram consumidos pela desesperança, tornando-os mais fragilizados a cada dia. Com eles, principalmente com o meu avô materno, testemunhei o abandono de si próprio, torturado pela culpa dos erros cometidos no passado – a solidão dele era interna, sofrimento estampado no rosto por trilhar a estrada da enfermidade sem o braço amigo de dona Margarida, que, apesar de ter o nome de uma frágil flor, era aguerrida, iluminada e o seu grande suporte para superar todos os momentos.

Ele me disse certa vez que estava abatido, sem forças para resistir à luta e queria desistir, para diminuir a aflição do desconhecido. Queria se encontrar logo com o seu amor na eternidade, mas, não tinha certeza do que aconteceria depois da sua morte. Eu entendi a sua angústia e seria uma tola se não o fizesse. Sabia que a sua batalha estava menos dolorosa que as outras que presenciei, pois estava amparado pela solidariedade e o amor dos que o cercavam. Mesmo que as conquistas de cada etapa do penoso tratamento de combate ao câncer sejam muito pequenas, o apoio incondicional de todos faz com que as lutas diárias dos pacientes sejam mais suaves.

Ainda que os meus avós tenham partido em função do avanço da doença, afirmo sem medo de errar que o amor é o elemento fundamental para se alcançar a cura: ele é a base de todo tratamento e o seu mais forte alicerce.

Porém, se o amor é a premissa para se ter o melhor da vida, por que tantos o rejeitam e também o negam ao seu próximo? Por que, muitas vezes, não conseguimos estender nossas mãos?

Essas perguntas me afligem e me impulsionam na busca de respostas. Enfim, me conforto em acreditar que não são atitudes de desamor que têm movido o ser humano, mas sim, atitudes de NEGAÇÃO. Negamos por medo, negamos por desconhecimento, negamos por ser mais fácil negar do que enfrentar a certeza da nossa transitoriedade e fragilidade.

Decidi compartilhar meu aprendizado com as pessoas e ajudá-las, assim como a mim mesma, a transpor nossos "NÃOS".

Este livro tem como propósito levar à reflexão, a importância das nossas atitudes na construção da nossa história e daqueles que nos cercam. Compartilhar o que aprendi, de modo a esclarecer e orientar as pessoas, levando esperança para que possam abrandar suas dores.

Nestas linhas, apresento-lhes uma linda história de amor, esperança e solidariedade. Um capítulo de superação na vida de dois jovens apaixonados, que se julgavam muito especiais, mas foram enredados nas mesmas armadilhas que a vida reserva a todos os outros mortais.

1

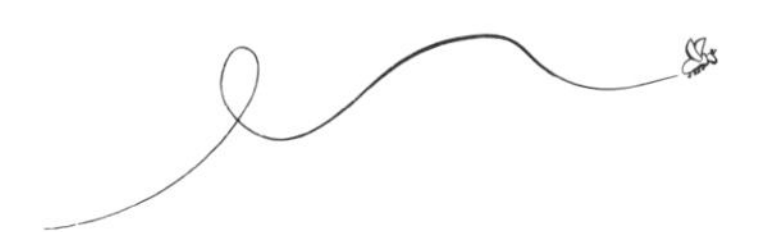

Uma família marcada por histórias de amor e dor

Após a morte da mãe vitimada por um câncer de mama, Arthur Soares de Menezes assumiu o legado empresarial da família, na qualidade de filho único do banqueiro Olímpio de Menezes. O seu pai, entregue ao sofrimento pela perda de Amália, sua companheira de uma vida inteira, resolveu se afastar dos negócios fixando residência em Provetá – uma ilha localizada no litoral do Rio de Janeiro, onde passara os últimos dias ao lado da esposa.

Mas o destino lhes preparara uma peça: ao se apaixonar por um surfista nativo da região durante as férias escolares, sua filha Maria Paula, uma jovem de apenas 17 anos, reacende a ferida no coração do pai.

O desenrolar desta história faz com que Arthur retorne a Angra dos Reis e passe na região um período mais longo que o habitual, obrigando-o a enfrentar velhos fantasmas que o atormentavam. Depois da morte da sua mãe, cada vez que visitava a aldeiazinha de pescadores, vagueava sem rumo de um lado para o outro, imerso nas recordações que teimavam em flutuar no seu peito como as ondas bravias daquele mar agitado. Depois de trocar um beijo e um forte abraço com o pai, entrava nele a fúria provocada pela saudade e regressava a São Paulo tão rápido como havia chegado. Ele jamais esqueceria o desespero que sentiu no dia em que Amália morreu, o choque, a confusão mental e o temor que se instaurou no seu coração de perder também o pai e ficar sozinho. Ainda sentia como se o tempo houvesse parado naquele dia fatídico, que sem saber o que fazer, sem nada para preencher a cratera que se formou no seu peito, ficou observando tristemente a reclusão das abelhas na colméia cuidada por sua mãe naquele jardim; apenas uma delas se atreveu a perturbar o seu silêncio fazendo um voo rasante, pousando nas flores de um canteiro próximo. Era como se essas abelhas compartilhassem do vazio que se instalara em sua alma. O povoado, de repente, estava mergulhado no mais absoluto silêncio. O céu, normalmente pontilhado de dourado, parecia ter sofrido um apagão, como se num minuto todas as estrelas tivessem sido reduzidas a pó. Ele, assim como seus pais, amava aquela região. Ali passara os melhores momentos da sua adolescência.

Foi nesse lugar maravilhoso que ele imaginava um Deus muito bem-humorado criando cada planta e todas as belezas daquele paraíso. Foi ali que passou as férias mais felizes ao lado dos pais; mas foi ali também que viu a sua querida mãezinha partir, deixando-o para sempre. Ele amava Olímpio com todas as suas forças, mas ficar por muito tempo naquele lugar o remetia a sentimentos muito contraditórios; ao mesmo tempo em que sentia saudades de tudo aquilo, queria esquecer o infortúnio e a dor da sua perda.

Lidar com a morte da mãe foi a experiência mais dolorosa da sua vida. Era quase impossível superar completamente, mas ele ainda se lembrava das suas palavras.

"Filho, o homem nasce, morre e vive eternamente."

Ele, na limitação inerente a um jovem recém-saído da adolescência, acreditava quando a mãe dizia que ninguém morre de fato, mas era difícil aceitar a sua partida e nada poder fazer para mudar os seus destinos. A morte sempre surge de repente e é através dela que entendemos que a vida é uma porta giratória de entrada e retorno. Arthur compreendia os ensinamentos da sua mãe e seguia a sua vida baseando-se neles. Estudou, formou-se em Administração de Empresas e casou-se com Estela, com quem teve dois filhos: Maria Paula e Matheus, agora com 17 e 9 anos, respectivamente. Ao longo do tempo, aprendeu a esperar pacientemente o que Deus lhe reserva todos os dias. Nas suas fases mais delicadas, foi essencial ter paciência consigo mesmo, e visitar aquela casa o fazia lidar novamente com o luto.

Hoje, Arthur sabe que uma das poucas coisas que tem tanto impacto na vida do homem e revela os seus mais profundos sentimentos é sofrer a perda do pai ou da mãe.

2

Férias na Ilha de Provetá

Estela Casagrande de Menezes era de uma família rica e tradicional e sob a qual vivia protegida, mas sempre fora uma pessoa doce e delicada.

Fazia parte de uma minoria privilegiada financeiramente, contudo, era uma mulher generosa, solidária, apegada aos valores morais e religiosos nos quais fora educada. Aprendeu com a família a doar grandes quantidades de dinheiro a organizações não governamentais e projetos filantrópicos da iniciativa privada de diversos países, a ajudar os mais necessitados, e ver o manifestar de Deus em tudo. Estela ainda herdou da família o hábito de ser grata pelas refeições; sua mãe sempre dizia que o Senhor dispõe de tudo o que o homem necessita, mesmo que muitos talvez não reconheçam que tudo vem Dele. Mesmo com o ritmo alucinante que a vida moderna imprimiu à maioria das pessoas, os Menezes sempre se davam as mãos e faziam uma prece antes de cada refeição. Estela não dispensava o ritual de se sentar à mesa em companhia da família. Para ela, reuni-los às refeições simbolizava união e prosperidade, além de ser um momento para o convívio entre todos. Era nesta hora que eles ficavam sabendo das novidades do dia.

Ela sentia-se realizada toda vez que se uniam em oração e, em vez de ficar de olhos fechados, enquanto um dos presentes fazia a prece, olhava ao redor da mesa e observava toda orgulhosa o rosto de cada um dos membros da sua linhagem. Quando estavam reunidos, era sempre ela que iniciava os diálogos. Mesmo tendo como hábito abordar assuntos leves, nesse dia sentiu-se impelida a comentar algo do passado, que sabia, ainda doía na alma do marido.

— Arthur, lembra-se das férias maravilhosas que passamos na casa de Angra? Faz tanto tempo!

Maria Paula interrompeu o devaneio de Estela e Arthur:

— Ué, mãe! Você sempre diz que a ilha é muito pacata, que lá tem muitos mosquitos e nada de bom para fazer!

— Pacata ela é mesmo, mosquitos tem bastante por lá também, mas isso não diminui a beleza do lugar. Aquela paisagem foi a mais bela que vi em toda a minha vida. Depois de visitar muitos lugares lindos do planeta, cheguei à conclusão de que o paraíso se chama Ilha Grande.

Estela tentou mostrar-se indiferente, mas era inevitável sentir arrepios de emoção ao pensar nas escaladas e trilhas que fazia com o marido, no riso solto de ambos quando ele a carregava no colo, divertindo-se como duas crianças, dos abraços apertados que diziam serem abraços de tamanduá, dos beijos lânguidos, enfim, na alegria de compartilhar a companhia um do outro o tempo todo. Ficou se lembrando de um dos lugares mais fantásticos que visitou na região, a Gruta do Acaiá. Para ela, o espetáculo no interior da caverna foi tão especial que começou a acreditar na lenda de que se as pessoas se banhassem nas águas cristalinas daquela piscina natural cheia de corais se curariam de vários tipos de doenças. A aproximadamente 8 metros abaixo do nível do mar há uma fenda na pedra da costeira, por onde a água do mar tem acesso, formando uma maravilhosa praia de pedras subterrâneas. O encontro entre a luz solar e a água forma um fenômeno incrível de beleza sem igual. Na escuridão absoluta, pode-se ver através de uma névoa verde turquesa, pontos brilhantes e piscantes, como se fossem pequenas estrelas.

Arthur, percebendo que a esposa estava saudosa do passado, olhou-a com carinho e ralhou com Maria Paula.

— Não fale da Ilha como se não a conhecesse, filha. Sabe que a sua mãe reclama dos mosquitos, mas sente falta do brilho da lua – afirma Arthur em tom de brincadeira. – Há muito tempo não passamos as férias com o meu pai. Que tal partirmos para Angra? Consigo me ausentar dos negócios por pelo menos uma semana.

— Quinze dias – sugere Estela.

— Não está forçando uma situação, esposa?

Estela, sorridente, retruca:

— Só um pouquinho. Não pode me culpar por tentar! – diz sorrindo.

— Uma semana tenho certeza de que consigo, mas posso tentar os seus 15 dias – afirma em tom brincalhão.

Maria Paula interrompe a conversa e faz uma pergunta.

— Pai, o senhor me leva para mergulhar?

— Claro! – Responde o pai fingindo não perceber o ciúme da filha. – Está combinado: vamos fazer pesca submarina e também podemos colher flores silvestres. Gostaria também de lhe mostrar umas trilhas lindas.

— Flores? Não sei... acho que para chegar até elas deve ter um monte dos tais mosquitos a que a mamãe se refere sempre. Não gosto desses insetos, viu? – brinca Maria Paula, bebericando seu suco de laranja.

— Flores sim, mocinha! Você vai levar alimentos para os bichinhos e ainda ficar feliz em alimentá-los – brinca o pai.

— Ui...! Tenho até arrepios de pensar nesses vampirinhos sugando o meu sangue – disse a filha, fazendo caretas.

— Que drama! – responde o pai, rindo da espontaneidade da filha. – É só passar repelente que fica tudo bem.

3

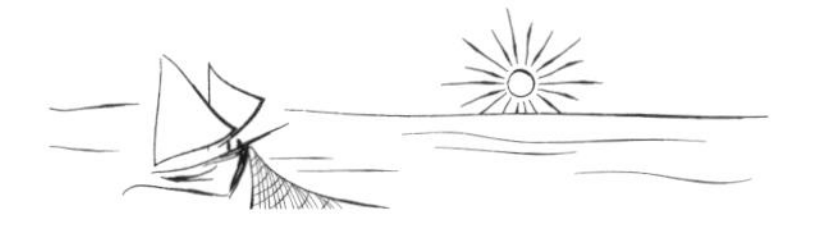

As recordações de Estela

Angra dos Reis sempre despertou certa nostalgia em Estela. A lembrança dos emocionantes passeios naquelas paragens sempre a impressionavam, independentemente da época em que aconteciam. A ampla e confortável visão a levava a apreciar tranquilamente aquele cenário e fotografar à vontade a paisagem colorida. Os passeios de barco na Reserva Biológica da Praia do Sul, o balançar das ondas do mar em movimento ao longo dos 193 km^2 de extensão da Ilha Grande, não importava a estação, eram sempre sensacionais.

O seu passatempo preferido era ficar debruçada sobre a mureta do cais na Praia do Aventureiro no final da tarde, observando a pesca de arrastão e o bailar sincronizado pelo vai e vem dos barcos. Ficava alheia a tudo, apenas curtindo a brisa vinda do mar e contemplando o sol refletido na areia grossa e amarelada daquela orla. Sentia saudade de mergulhar com Arthur nas profundas águas da Praia Vermelha e de escalar o Pico do Papagaio. Do topo desse penhasco, podia-se contemplar quase toda a Ilha Grande, desde Angra dos Reis até a Restinga da Marambaia. No dia em que subiram a trilha, o tempo estava tão bonito, sem uma nuvem sequer, que foi possível avistar até a Pedra da Gávea, na Zona Sul da cidade do Rio de Janeiro. O caminho até o Pico do Papagaio foi o mais difícil que fez na Ilha Grande. A mata era fechada, o terreno de grande inclinação, sem nenhuma visão do céu. O dia na floresta era escuro como a noite, salvo alguns poucos lugares, com pequenos pontos de luz, tudo era negro como breu.

Ela revivia emoções passadas naquele lugar estonteante, com as suas 365 praias. Amava todos os seus recantos, porém, as Praias do Aventureiro, de Lopes Mendes, do Abraão, da Lagoa Azul, do Saco do Céu e da querida Ilha de Provetá, lhe eram mais que especiais. Afinal, fora apresentada a cada uma delas pelo seu amado esposo, quando ainda eram namorados. Aquela terra era abençoada por inúmeras enseadas, todas de inigualável beleza. Arthur, entre um beijo e outro, foi mostrando aos poucos a sintonia harmoniosa da natureza daquele lugar e o poder absoluto que ele produzia nas pessoas. Ela fechava os olhos e parecia sentir o balançar do barco a remar pelas margens dos rios e das pescarias silenciosas que faziam nas lagoas. Era fantástico mergulhar na piscina natural da Cachoeira da Feiticeira, ser respingados pela fumaça branca formada pela queda-d'água geladíssima e, por fim, colher muitas pedras coloridas lapidadas pela água. A Ilha Grande era uma tela viva colorida com suas vastas planícies e picos, riquíssima em recursos naturais. Tudo aquilo parecia se render a Arthur, um profundo conhecedor de cada pedaço daquele chão.

Provetá, ah, Provetá... Era o último vilarejo de pescadores da ilha e o cenário magnífico da sua paisagem exercia um fascínio quase hipnótico sobre os seus visitantes.

Sentir-se em paz consigo mesma era muito pouco para definir as sensações de Estela naquele momento. Maria Paula, de repente, aparece correndo, tira a mãe dos devaneios e fala ofegante:

— Vamos ver o pôr do sol?

— Claro!

As duas galgaram rapidamente encosta acima, escalaram o penhasco e ficaram a contemplar a rajada colorida deixada por mais uma despedida do sol. Era incrível o poder dominante que o astro rei exercia sobre tudo e todos. Nem as flores negligenciavam o *flash* colorido da sua magnitude. Os seus raios, refletidos nas águas, eram um ato de entrega total. Em Provetá, o amanhecer e o entardecer são momentos místicos. Para a maioria das pessoas, desses instantes brota o mais belo processo do ciclo da vida.

Maria Paula estava muito animada, nem parecia a menina sonolenta do dia em que viajaram. Estela lembrava-se muito bem do desgaste que fora tirá-la da cama. Batera na porta do quarto da filha pelo menos umas cinco vezes, antes de a jovem decidir acordar, levantar e se preparar para a viagem. A mãe relembra a cena com um meio sorriso nos lábios.

— Acorda, filha! O despertador já tocou.

— Já tô indo, mãe – respondeu e voltou a dormir. Passaram-se alguns minutos e Estela retornou.

— Não acredito que voltou a dormir Maria Paula.

— Eu mereço dormir mais um pouquinho, mãezinha. Estou vendo que estas férias serão inesquecíveis! – Murmurou a filha, em tom irônico. "Acordar cedo é desanimador", completou ela em pensamento.

O despertador tocou às 7h15. Maria Paula acordou, apertou novamente o botão "soneca" e continuou dormindo.

Mas uma nova batida na porta a assusta e, dando um salto, avista as malas prontas, lembrando-se de que havia marcado com a inseparável amiga Bárbara às 7h30 no aeroporto. Afinal, não iria ficar todas as suas férias na Ilha Grande sem alguém para compartilhar nas redes sociais as várias fotos dos momentos de diversão que já imaginava que iriam desfrutar.

Levantou-se correndo, pegou as roupas que estavam sobre a cama, juntou os biquínis novos que comprara especialmente para a viagem e jogou tudo dentro da mala correndo para o banheiro. Tomou banho às pressas. Atendeu ao telefone, desculpando-se com a amiga, que já a estava esperando. Vestiu-se e escovou os dentes, quando escutou Estela novamente chamando-a.

Sua mãe era uma mulher linda, alta, elegante, de fartos cabelos negros. Acima de tudo, era uma pessoa de excelente humor e um enorme coração. Admirava-a imensamente. Apressou-se ainda mais, pois não gostava de vê-la chateada. Estela já estava com as malas arrumadas e resmungava em voz baixa na sala por causa do atraso.

"Gosto muito de férias na Europa, em Nova Iorque, mas nada se compara a uma temporada em Angra dos Reis! Calor, sol, maresia, brisa suave e muita aventura nos aguardam. Será uma grande oportunidade de ter Arthur conosco e será maravilhoso reviver cada momento daquele paraíso acompanhada pelo meu amor". Pensou ela.

Arthur estava à mesa, observando a empregada terminar de servir o café enquanto aguardava Estela e Maria Paula. A esposa apareceu, prendendo o fecho do relógio e pediu sua ajuda para completar a arrumação. Beijou-o suavemente nos lábios e disse:

— Bom dia querido, já tomou café? – Arthur abrira um sorriso.

— Ainda não. Estava aguardando você. Levantei-me cedinho para correr um pouco e não quis acordá-la. Maria Paula não vai descer?

— Ela já deve estar descendo.

— Como sempre, as duas estão atrasadas.

Maria Paula desceu as escadas correndo, enquanto a empregada terminava de servir a mesa, e pediu ajuda à moça para descer suas malas. Estela apressou-a com doçura, pois sabia que, de outra forma, não partiriam tão cedo. Maria Paula, em tom de lamentação, reclamou:

— Poxa mãe, que desespero! Estou aqui, mas ainda estou dormindo, viu? É muito cedo para este alvoroço todo. Até parece que vamos para o outro lado do mundo!

Arthur olha para as malas de Maria Paula e pergunta bem-humorado:

— Parece mesmo que está indo para o outro lado do mundo, e de mudança.

Maria Paula senta-se ao lado do pai, rindo e responde:

— Férias, pai. Estou saindo de férias! Minha mudança demoraria umas duas semanas para ser transportada. Sem contar que eu precisaria de um reforço de pelo menos uns dez homens bem fortes – completa, rindo.

A família estava terminando o café quando a campainha tocou.

Arthur comentou:

— Deve ser o Miguel. Ele chamou um táxi para levá-las ao aeroporto porque hoje tenho reunião logo cedo.

A empregada abriu a porta e o segurança de Arthur, Miguel, entrou na sala. Era um homem de poucas palavras e caminhou direto para a mesa onde estava o patrão. Cumprimentou a todos com um aceno e agradeceu o convite de Estela para sentar-se e acompanhá-los no café da manhã, porém, permaneceu de pé.

— Obrigado, dona Estela, já tomei café.

Terminado o desjejum, Arthur pegou sua maleta e seguiu com Miguel em direção à porta. Os empregados já haviam acomodado as malas de Maria Paula e Estela no táxi que as levaria ao aeroporto. Arthur e Miguel acompanharam as duas até o táxi. Maria Paula abraçou fortemente o pai:

— Tchau, paizinho.

Estela abraçou e beijou o marido e, com um olhar intenso, cobrou a promessa:

— Amor, estarei esperando por você. Não se esqueça de tentar ficar quinze dias conosco.

— Quinze dias não posso garantir, mas irei. Pode esperar.

Despediu-se das duas com carinho, desejando-lhes boa viagem e mandando beijos cheios de saudades para Matheus, o filho caçula, que já estava na casa do avô.

Bárbara ligou novamente para Maria Paula, que se apressou em dizer que já estava chegando.

O trajeto até o aeroporto de Congonhas foi rápido e tranquilo. Logo ao chegarem, encontraram Bárbara, uma jovem de também 17 anos, alta, magra, cabelos escuros, olhos castanhos, amiga de Maria Paula desde a infância, toda nervosa, andando de um lado para o outro, que foi logo dizendo:

— Nosso voo sai em menos de uma hora. Se não corrermos, vamos perdê-lo. O que houve? Por que se atrasaram tanto?

Estela prontamente respondeu às indagações da moça, enquanto faziam o *check-in*:

— Você não imagina o motivo do atraso?

— Claro que sim, tia! Maria Paula, como sempre, com a cama grudada nas costas.

Maria Paula retrucou, fingindo estar chateada:

— Não falem de mim como se eu não estivesse aqui. Eu não tenho culpa se sou uma garota normal que adora dormir.

Bárbara começou a rir, dizendo:

— Você é mesmo um monstrinho. Fez-me esperar mais de uma hora, mesmo sabendo que sou ligada no 220 e iria ficar ansiosa, andando de um lado para o outro.

— Pare de reclamar. Parece uma velha resmungona... Já estou aqui, não estou?

— É verdade. Pelo menos o corpo está. Talvez os miolos tenham ficado no travesseiro, mas isso a gente confere depois – afirmou a amiga com um meio sorriso.

E as três partiram tagarelando em direção ao embarque, com destino ao Aeroporto Santos Dumont, no Rio de Janeiro.

Já passava das 11 horas quando desembarcaram no Rio de Janeiro e de lá partiram em direção a Angra do Reis. Fernando, o antigo motorista da família, foi colocando as três a par das novidades da ilha logo depois de acomodar as malas no porta-malas.

— Matheus está todo eufórico com a chegada das senhoras. Ele tem se divertido bastante na companhia do senhor Olímpio.

— Espero que não tenha aprontado muito.

— Que nada, dona Estela! Ele é um bom garoto.

Seguiram em silêncio boa parte da viagem, já que Maria Paula e Bárbara resolveram dormir no banco de trás e Estela se perdera em seus pensamentos.

O sol estava forte quando chegaram à ilha. A travessia de barco entre o cais de pescadores em Angra dos Reis e Provetá embalara as meninas, deixando-as ainda mais sonolentas. Em Estela, ao contrário, o rastro de espumas brancas deixadas pela passagem do barco só lhe fizera recordar dos bons momentos que viveu na colônia dos pescadores. Foram se aproximando da grande extensão de terra que formava a ilhota. O sol forte reluzia na areia branca da praia. Já podiam ver algumas pessoas caminhando, crianças brincando, enquanto um grupo muito animado jogava futebol.

— Loucos. Estão cozinhando os miolos – comentou Maria Paula.

Chegaram ao cais, ansiosas por descer. Fernando desembarcou as bagagens com a calma e a atenção que lhe eram peculiares. Maria Paula e Bárbara finalmente despertaram para o que estava em volta, falando sem parar e fazendo planos para os próximos dias. Observaram o jogo de futebol na praia, sob aquele calor escaldante do meio-dia e o colorido dos corpos bronzeados pelo sol. Estela respirou fundo e bem lentamente o ar fresco e gostoso que vinha do mar. Era indisfarçável a sua emoção ao pisar mais uma vez naquele chão.

Entre os jogadores da praia, um chamou a atenção das moças. Era João Carlos, garoto nativo da Ilha, que aparentava ter uns 20 anos. Os seus cabelos, louros e rebeldes, contrastavam com a pele muito bronzeada. Por um instante, ele parou de jogar e olhou em direção ao cais. Sentiu um incômodo, como se estivesse sendo observado. Viu os viajantes desembarcando, mas não conseguiu definir bem os seus traços. Estava distante, mas percebeu sem muita certeza que os olhos que o seguiam eram de uma menina de cabelos levemente encaracolados. Parecia bonita. Retornou ao jogo alegremente e ainda fez um gol. O time de João Carlos comemorou como se fosse uma final de campeonato, e algumas pessoas que assistiam aplaudiram também. Entre os torcedores, Ricardinho, irmão caçula de João Carlos, seu fã incondicional, estava eufórico, como sempre.

O jogo terminou e João Carlos, com as mãos nos ombros do irmão, o conduziu para a sombra aconchegante da Barraca da Jurema. Ela era proprietária de um quiosque à beira-mar e, como em qualquer vilarejo, conhecia todos os moradores.

— Olá, meninos. Querem água de coco?

Os garotos, sedentos, responderam ao mesmo tempo:

— Por favor, Jurema.

Ela os serviu e continuou atendendo aos outros fregueses.

4

Na casa do vovô Olímpio

Na casa de Olímpio estão todos agitados. Ele, um homem de 65 anos, cabelos lisos e grisalhos, e Lucrécia, a antiga governanta da casa, estão ansiosos pela chegada das visitantes tão queridas. Olímpio não vê a hora de rever a neta e a nora, a ponto de não saber o que fazer com as mãos.

Não era para menos, afinal, desde a morte da mãe, Arthur passava por ali mais rápido do que um meteoro, e naturalmente acabou afastando Estela e os seus filhos do balneário. Olímpio, apesar de sentir a falta da família, entendia o filho, que sofrera dolorosamente vendo a mãe padecer naquele lugar. Até o momento da descoberta da sua doença, guardava apenas doces lembranças da sua juventude.

Olímpio sofria calado. O perfil de homem de negócios, rígido e sério, predominava em seu semblante. Era o que ele estava acostumado a ser. Durante anos batalhara, de sol a sol, para que a família que tanto amava tivesse todo o conforto e permanecesse sempre unida.

Amália, sua esposa, em contrapartida, era desprendida, espiritual. O seu maior prazer era passear de barco pelo arquipélago e desfrutar das belezas das praias da Ilha

Grande. Qualquer feriado era motivo para a família partir em direção ao refúgio. Olímpio se lembrava muito bem do quanto esses passeios agradavam a ela e a Arthur, seu único filho.

Ela conseguia, com um simples olhar, desmontar toda a sisudez do marido e transformá-lo totalmente. Olímpio se tornava outra pessoa quando estava ao seu lado: humano, atencioso e amoroso ao extremo. Completavam-se.

Lembrar-se da esposa o fazia tremer em seu íntimo. O coração descompassava e seus olhos marejavam de saudade.

Em seus mais íntimos momentos de dor, Olímpio invocava aquelas memórias. Meu Deus, quantos anos já se passaram! De repente, via-a ali, ao seu lado, afagando-lhe a fronte consternada. Como estava bonita! Percebia os detalhes de seu rosto, iluminado por uma névoa translúcida e brilhante. Vasculhava imediatamente os bolsos, procurando um antigo pedaço de papel que sempre trazia consigo. Era um poema, escrito por Amália, que havia encontrado por acaso no fundo de um pequeno baú de joias, logo após o seu funeral:

"A ansiedade em mim fez morada
Quando o médico
O câncer confirmou.
O chão ruiu sob os meus pés
Por um momento
O mundo parou.

Tentei libertar-me da vertigem
Tive a sensação de flutuar
Vi de repente num *flash*
Diante dos meus olhos
Toda a minha vida passar.

O medo
Fez recolher-me em silêncio.
Apoiar-me
Nas pessoas que amo
A minha sentença estava selada:
A morte em breve viria me visitar.

Nos braços da fé que sempre me embalou
Refugiei minhas dúvidas e incertezas.
E com a ajuda de todos que me amam
Optei por viver
Intensamente os meus últimos dias.

A passagem pela terra
É muito curta
Para vivermos tempos
De angústia e dor.
O desencarnar
Conduz o espírito liberto
À morada que Deus
Para cada um preparou."

À medida que lia os versos em silêncio, ouvia a voz de Amália sussurrando em seu ouvido, lendo junto com ele. Sentia-a tão perto e ao mesmo tempo tão distante...

Lucrécia tirou-o do devaneio com um gritinho:

— Tá dormindo acordado?

— Pare de gritar feito uma louca e concentre-se no seu serviço. Como sempre, está com tudo atrasado. Já fez o bolo de banana-nanica?

Lucrécia faz um gesto exagerado e exclamou fazendo uma careta:

— E o senhor dá sossego para esta pobre alma trabalhar em paz?!

O telefone tocou e Olímpio correu para atender, enquanto Lucrécia continuava resmungando. É Arthur.

— Oi, pai! O senhor está bem?

— Sim. Se não fossem os aborrecimentos com a esclerose da Lucrécia, eu estaria muito melhor.

— Não fale assim. Ela cuida bem da casa, cuida do "chefe", deveria ser grato.

— Tá! Sou grato, mas mudando de assunto, como estão os negócios? Conseguiu concluir o contrato com a CMC?

— Claro, o contrato da Central Mercantil Cosmopolita finalmente é nosso! – diz salientando cada palavra, valorizando-as. – A folha de pagamento da empresa será realizada pelo nosso banco.

— Ótimo. Parabéns!

— Pai, seu lugar na empresa o espera de volta!

— Arthur, eu não vou retornar, e isso já está decidido. Você é o responsável pela empresa, agora, mas se quiser, posso passar a presidência do grupo para um dos nossos diretores – brincou Olímpio.

— Pai, esse legado é nosso. No meu lugar, só aceito o fundador e os seus sucessores, nesse caso, eu ou um dos meus bebês – responde rindo ao referir-se a Maria Paula e Matheus.

O que Arthur não sabia – e talvez nunca viesse a saber – é que a morte da companheira de seu pai fora o golpe de misericórdia que o fizera querer parar de vez com toda aquela correria que era a sua vida e recolher-se às suas memórias. Sentia-se fragilizado por dentro. Nunca mais seria o mesmo homem de negócios. Por outro lado, Olímpio se sentia feliz e orgulhoso em ver o seu menino se interessar pelos negócios da família e mostrar-se competente para tal. De certa forma, esses dois sentimentos o equilibravam e o faziam continuar. Transferiu para os netos o que lhe sobrou de ternura.

Lucrécia apareceu na porta para falar alguma coisa, mas mudou de ideia ao ver Olímpio ainda ao telefone. Caminhou, então, apressando-se em direção à cozinha, correndo com os preparativos para a chegada de Estela e Maria Paula.

5

A família de João Carlos

Marisa é uma senhora alta, que aparenta ter cerca de 40 anos. Esguia, cabelos pretos e pele curtida pelo sol, costureira por profissão e autêntica esposa de pescador.

Casada há mais de 20 anos com Francisco, homem humilde, de bom caráter, que ainda traz nas faces castigadas pelo sol e pelo mar, os traços da sua juventude.

Um casal feliz, vivendo em função de proporcionar uma vida melhor para os seus três filhos – João Carlos, Isabela e Ricardinho.

Ao mesmo tempo em que preparava um típico arroz com bananas fritas, acompanhado por ervilhas frescas para o almoço, Marisa observava a máquina de costura no canto da sala e pensava: "Tenho de entregar este vestido hoje e ainda falta muito para terminar".

Neste momento, Isabela chega da praia e a mãe aproveita para pedir sua ajuda com o almoço, o que a moça faz prontamente. Marisa contempla a filha de 22 anos, olhos castanhos, pele levemente bronzeada, e pergunta sobre o curso.

— Depois do almoço vou estudar aquela apostila – diz Isabela, apontando para a mesa. – É um texto para hoje.

— Tenho muito orgulho de você. Queria que seu irmão seguisse o seu exemplo e se dedicasse mais aos estudos do que às aulas de *surf*, aos jogos de futebol e a fazer essas trilhas perigosas por aí, acompanhando turistas.

— Mãe, o João Carlos está de férias; e, depois, não tem nada de perigoso em ser guia turístico. Deixe-o. Quem melhor que um autêntico nativo para saber tudo da nossa terra?

— Mas ele nem se lembra que daqui a pouco tem vestibular.

— Pare de se preocupar, ele sabe o que quer. É um bom garoto. Mãezinha, mãezinha, quem disse que o fato de sua filha gostar de fazer curso de verão dita regras para os demais? Logo voltam as aulas e acaba a moleza dos garotos; se é que guiar turistas é moleza.

Marisa fica pensativa e comenta, olhando pela janela:

— Angra dos Reis e suas ilhas não são mais como antigamente. Eu sei que precisamos do turismo, mas, às vezes, tenho saudades de quando as coisas eram mais calmas por aqui.

Marisa continua com os pensamentos livres enquanto termina suas obrigações. Só percebe a presença de Francisco quando ele abre a geladeira e pega uma vasilha com água e vai até a pia em busca de um copo.

Ele dá um beijo na testa da esposa e abraça carinhosamente a filha que, junto ao fogão, termina de preparar o almoço.

Marisa interrompe o trabalho para receber o afeto, mas logo retorna aos seus afazeres. Francisco se diverte dançando no ritmo do barulho da máquina de costura. Sorridente, aproveita para bisbilhotar as panelas. Marisa olha pela janela, buscando os meninos com o olhar, mas não os vê. Pede a Francisco com doçura:

— Querido, pode chamar os garotos na praia para o almoço?

— É pra já. – Responde e sai cantarolando.

Antes de chegar à rua, Francisco escuta o barulho dos filhos, afoitos pela corrida em direção à casa.

— Estava indo buscá-los para o almoço.

João Carlos responde sorridente:

— E precisa pai? Estamos vidrados de fome!

— E têm de estar mesmo, vocês surfam e jogam futebol o dia inteiro.

Ricardinho disse, todo orgulhoso:

— João Carlos fez um gol hoje, pai.

— É mesmo? Por esse motivo se atrasaram?

Ricardinho aponta para Isabela arrumando a mesa e retruca:

— Não estamos atrasados não, Isabela ainda está arrumando a mesa.

Francisco ralhou com o filho:

— Não seja malcriado! Você deveria estar ajudando a sua irmã.

— Pai, estou de férias – responde Ricardinho, com uma cara travessa, e corre para a mesa.

Isabela avisou que o almoço estava servido e chamou os avós, que estavam sentados na varanda. Maria do Socorro e Salvador beijaram os netos e sentaram-se para comer. Por causa das longas pescarias de Francisco, os pais de Marisa passaram a viver com eles, para ajudá-la a cuidar da família e, em contrapartida, ela também cuidava deles. Eles eram bem ativos e adoravam a vida pacata da ilha. Faziam longas caminhadas na praia e participavam de dinâmicas em grupo com outros idosos, incentivados pela prefeitura local. Iam à igreja todos os dias e Salvador ainda se divertia contando histórias para as crianças do vilarejo.

— Como foi hoje no estudo bíblico?

— Foi ótimo! É sempre muito bom. Ah! Quando estávamos voltando para casa, vimos os garotos jogando futebol na praia.

Apesar de estarem falando dele, João Carlos não fez sequer menção de falar coisa alguma. Francisco, curioso com o silêncio daquele momento, dirigiu-se a ele:

— Está calado por quê?

— Estou bem cansado! Joguei três partidas hoje.

— Posso saber por que exagera tanto na prática dessas atividades? – perguntou Salvador.

— Ué, vô?! Não pode me culpar por ser o melhor do time – disse sorrindo.

— Acho que está é querendo impressionar alguém – ironizou o velho senhor, com uma sabedoria intuitiva inerente aos grandes mestres na arte de viver. Ele sabia como manter a alma jovem e esbanjava suavidade para lidar com a família.

Terminaram o almoço. Francisco se levantou, pediu licença e se encaminhou para a praia. Precisava trabalhar nas redes, aprontá-las para a próxima viagem em alto-mar. Sabia que era um momento de família, mas também era a melhor temporada de pesca e não podia perder a chance de ganhar um dinheirinho extra. Deu um beijo na sogra, fez uma brincadeira dizendo que sogra é castigo e saiu devagar. Ela retrucou na hora, achando graça da brincadeira:

— Na verdade, deveria ser grato a mim por ser mãe da melhor mulher do mundo, a sua esposa.

Ele riu também. Acenou para o sogro e partiu.

A conversa continuou animada na sala, depois da saída de Francisco. Marisa perguntou para a mãe, olhando para os filhos:

— Mãe, quando passou pela praia, o que Ricardinho estava fazendo por lá? Esse garoto é arteiro e não tem medo do perigo.

Quem respondeu prontamente foi João Carlos:

— Ele estava comigo, mãe. Onde eu estou esse aí tá grudado. E não fazia nada de errado. Apenas observava o jogo de futebol da rapaziada.

Salvador não perdeu tempo:

— Ah, Ricardinho! Quero ver se você terá a mesma disposição para ouvir minhas histórias mais tarde.

Isabela, que se divertia com a conversa, ajuda a pilhar o irmão:

— Claro que ele vai, vô! Afinal, ele adora ouvir sobre sereias, golfinhos e tubarões – afirma ela, com uma cara engraçada.

O avô faz cara de bravo:

— Então a senhorita quer dizer que as minhas histórias são ruins? Como castigo está convocada para participar do evento de hoje. Ela sorri, leva a mão espalmada à cabeça, prestando uma continência e responde alegremente "sim senhor, *coroné*".

6

A chegada tão esperada

Tarde ensolarada, muito calor. Na casa de Olímpio todos estão ansiosos pela chegada de Estela e Maria Paula. Ele tem esperança de que, com a vinda da nora e da neta, o seu filho passe mais tempo na região, como nos velhos tempos.

Atropelando os seus pensamentos, Matheus reclama com certa ansiedade:

— Por que será que estão demorando tanto? Elas deveriam ter vindo de helicóptero.

— Calma, meu garoto. Paciência!

— Ah, vozinho, estou perdendo a pescaria.

— Só mais alguns minutos. Já pensou no quanto será desagradável a sua mãe chegar cheia de saudade e você não esperá-la? Acalme-se, os peixes não fugirão do mar.

Lucrécia também está aflita:

— Será que pararam no *shopping*? É bem a cara delas. E em Angra, recentemente, inaugurou um enorme.

— Deixa de ser maldosa – diz Olímpio.

— Não sabia que parar no *shopping* era maldade – retruca Lucrécia com cinismo, seguindo em direção à cozinha.

Ele faz um gesto com a mão e senta na cadeira de vime na varanda.

Matheus dá um salto e aponta com o dedo:

— Olha, vô! Elas estão chegando!

Olímpio chama pela governanta:

— Lucrécia, Lucrécia... Elas chegaram!

Matheus não faz por menos, gritando também:

— Lucrécia, Lucrécia... Rápido, elas chegaram!

Lucrécia corre para a porta, secando as mãos e tirando o avental. Olímpio, ansioso, pergunta:

— Está tudo arrumado?

Lucrécia responde entre dentes:

— Me grita o tempo todo e ainda me chama de incompetente?

Ele finge que não ouve e sai para receber a família.

Matheus corre ao encontro da mãe e da irmã, perguntando pelo pai. Em meio à euforia, Estela, Maria Paula e Bárbara procuram, com alegria, os presentes que trouxeram, enquanto os empregados se encarregam das malas. Estela distribui os presentes: para o sogro trouxera uma linda camisa polo, pois sabia que ele adorava. Para o filho, um aviãozinho com controle remoto para brincar na praia. Para Lucrécia, um lindo vestido amarelo com bordados brancos no peito, do jeito que sabia que ela usava. Matheus abraça a irmã e Bárbara, ao mesmo tempo. Em seguida, gruda-se à mãe. Por alguns minutos, o garoto até se esqueceu da pescaria.

Emocionada, Lucrécia abre o embrulho e diz:

— Não precisava se incomodar, dona Estela.

Ela acena com a cabeça e responde:

— Claro que precisava. Espero que goste.

Estela entra na casa com a passada suave, procurando amortecer as pisadas a cada toque no chão. Adentrando a sala de estar, foi remetida a uma parte muito importante de si mesma. Essas emoções ela não era capaz de controlar, por mais que se esforçasse. Caminhou firme em direção à varanda para deslumbrar aquela vista inesquecível, o filho a acompanhou. Colocando carinhosamente as mãos nos ombros do seu pequeno se lembrou daquele que, durante muito tempo, foi o lugar da sua preferência para observar as primeiras horas da noite e curtir o belo amanhecer de Provetá. Por algum tempo, ficou imersa nas lembranças, mas logo foi trazida de volta à realidade por um Matheus tão falante que mais parecia ter engolido uma eletrola antiga.

Fernando, o motorista, ajudou Lucrécia com as bagagens e juntos subiram as escadas, em direção aos quartos.

O almoço foi servido como nos velhos tempos: a mesa bem posta, o aroma da comida caseira e fresquinha, feita pelas mãos de fada da *chef* Lucrécia. O clima era de muita alegria. Todos dão as mãos para a prece e, diferentemente das outras vezes, Estela cerra os olhos com força e agradece pelo alimento e também pela união da família. Estava feliz em dividir novamente uma refeição naquela mesa, sua velha conhecida.

Logo depois do almoço, Estela convida as meninas para uma caminhada, liberando Matheus daquela jornada feminina. A tarde estava linda. O mar, de um azul-esverdeado tão belo quanto transparente. Muita gente bonita aproveitava a brisa fresca e caminhava pela fina areia de Provetá. O entardecer da ilha sempre a deixou em estado de euforia e, como sempre, ela estava extasiada diante daquele cenário. Maria Paula a provoca com um sorriso maroto:

— Arrependida de não ter ido para a Europa?

— Deixa a sua mãe em paz – retrucou Bárbara.

— Deixa ela se divertir às minhas custas. Mas respondo à sua pergunta, bobinha. Nunca me arrependo de vir à Ilha Grande. Gosto de viajar pelo mundo, de fazer compras, mas saiba que foi aqui que comecei minha feliz e durável história de amor com o seu pai. Quando penso em felicidade, as lembranças me trazem a este lugar. Aprendi com o povo daqui que a chave da felicidade está no passado, nas memórias afetivas que vamos construindo ao longo da nossa existência. A vida foi feita para se viver sem pressa. Valorizar as pessoas deve ser a regra e não uma exceção. Compatibilizar-se com a natureza deve ser manual de sobrevivência. Enfim, devemos perceber o valor de todas as coisas, até as que achamos quase insignificantes. Só posso dizer a pleno pulmões que esta ilha é uma joia.

Mãe e filha se entreolham, descobrindo em si mesmas duas mulheres ávidas pela vida. As três dão-se as mãos formando uma corrente e retornam para casa, felizes e sorridentes.

7

Uma rotina feliz

Após o jantar, todos se reuniram na varanda da casa rústica e acolhedora, enquanto Marisa terminava de preparar a marmita do marido. Preocupada, sem saber bem com o quê, distraía-se com a tarefa. Há anos, sempre que antecedia a partida de seu marido para o mar, ela lhe preparava cuidadosamente a alimentação, para que Francisco tivesse forças para aquele trabalho, que exigia tanta resistência e atenção. Sempre orava para que ele fosse protegido e seu coração se confortasse. Mas, desta vez, um mau pressentimento a incomodava.

— Você ficará fora por quanto tempo?

— Dez dias, meu amor. E dez dias passam rapidinho.

— Sei lá, estou com o coração apertado e não queria que você fosse.

— Você sabe que preciso ir, não posso ficar sem trabalhar. Seus pais vão ajudá-la com as crianças.

— Você quer dizer que eles são mais duas crianças para eu tomar conta, né? – Ela completa sorridente, olhando carinhosamente para os velhos pais, cochilando sentados no canto da varanda.

— Tudo vai ficar bem, você vai ver. Daqui a pouco estarei de volta; e os meninos prometeram se comportar na minha ausência e te ajudar com as tarefas.

— Eles são apenas crianças, e crianças são iguais a alguns políticos: em quinze minutos já esquecem o que prometeram. São casos típicos de amnésia – brinca ela.

Sorrindo, marido e mulher caminham para a varanda, abraçadinhos, contemplando o luar. Marisa comenta baixinho:

— Prometa que vai tomar cuidado. Você sabe que com o mar não se brinca. Tenho muito medo de perdê-lo.

— Isso não vai acontecer, eu garanto; agora, vamos descansar – e entram todos juntos na casa.

Nem bem amanhece e Francisco já está de partida. Marisa entrega uma sacola com a marmita e outra com as roupas do marido. Ele vai ao quarto dos filhos, dá um beijo carinhoso em cada um, despede-se da esposa e segue em direção à praia, onde o barco está atracado. O dia transcorre tranquilo, enquanto o barulho da máquina de costura se mistura às gargalhadas das crianças que brincam.

A noite chega rápido e Salvador se assusta ao encontrar João Carlos (que eles chamam carinhosamente de "JP"), saindo do quarto.

— Vai sair? – pergunta Salvador.

— Não, vô. Vou buscar água para o Ricardinho.

— Tá estudando para o vestibular?

— Toda noite, depois que o mano me dá sossego, tenho estudado um pouco. Não se preocupe, vou passar. Afinal, seu neto aqui é *fera!* – diz ele, apontando para si mesmo, rindo.

— Você deveria estar estudando durante o dia, igual a gente normal. A noite foi feita para dormir. Não entendo esta juventude de hoje, faz tudo pelo avesso.

— Fica frio, vô. Estudo durante a noite, porque tenho estado sem sono.

— Tenho muito orgulho de você. Puxou a beleza e inteligência do avô.

Maria do Socorro, que escuta a conversa no corredor, avança a cabeça pelo vão da porta entreaberta e comenta:

— Coitado do garoto. Imagina se ele tem a cabeça oca como a sua! Vamos dormir, já passa das onze da noite e amanhã vamos cedo à igreja.

JC, com um leve sorriso nos lábios, distribui beijos com as mãos para os avós e retorna ao quarto com a água para o irmão. Fica parado perto da cama, contemplando Ricardinho, que dorme profundamente em sua cama, como faz todas as noites. Acomoda o copo sobre a cômoda e, cuidadosamente, transfere-o para a sua própria cama.

Nessa noite, João Carlos não consegue se concentrar nos livros. Fica olhando as luzes da cidade lá longe pela janela à espera do sono, que demora a chegar.

***

Na casa de Olímpio, Maria Paula e Bárbara se preparam para dormir enquanto planejam a agenda do dia seguinte.

— *Shopping center* aqui, só aquele na entrada da cidade – diz Maria Paula.

— Peça ao seu avô para levar a gente lá.

— Ele vai dizer que tem coisas mais importantes para nos divertir aqui do que em um *shopping*.

— Então, peça para a sua mãe. Assim, passeamos de barco na travessia para o continente; vamos ao *shopping* e ainda podemos passear de carro pelos arredores.

— Minha mãe não gosta de dirigir.

— Ué! Contratamos alguém ou nós mesmas podemos alugar um carro.

— Quem vai alugar um automóvel para duas menores de idade? E, depois, não sabemos guiar direito.

— Mas aqui é cidade pequena, o trânsito é tranquilo e podemos treinar.

— Podemos não, sua louquinha. Amanhã falaremos com a mamãe e o vovô.

Estela escuta o burburinho no quarto das meninas e bate à porta. As meninas abafam o riso e a mandam entrar.

— Tudo bem que as senhoritas estão de férias, mas isso são horas para fazer bagunça? – Pedindo silêncio com o dedo sobre os lábios, diz:

— Boa noite, meninas. Vou apagar a luz.

— Boa noite, *mamy*.

— Boa noite, tia.

***

O céu amanheceu sem nuvens, prometendo ser um tradicional dia quente de verão, com muito calor e gente bonita curtindo a praia. JC sai do mar, flutuando suavemente na crista da onda e diminui a velocidade à medida que vai se aproximando da beira da praia. Senta-se na areia e apoia-se na prancha. Ele conversa sobre os estudos com Eduardo, um jovem de 25 anos, olhos claros, bronzeado, magro, cabelos louros, professor de *surf* e apaixonado pela irmã de JC.

— Cara! Você faz muito bem em tirar um tempinho das férias para estudar. Queria ter essa mesma força de vontade – diz Eduardo.

— É que o vestibular será logo depois que terminarem as férias... E preciso passar. Sabe como é, preciso me dedicar aos estudos; afinal, meus pais trabalham bastante para que eu e meus irmãos tenhamos as oportunidades que eles não tiveram. Não posso decepcioná-los.

— Você jamais decepcionaria seus pais, JC.

— Não estudo só por causa deles. Preciso me formar.

— Vai estudar o quê?

— Biologia. Não pretendo ir embora da ilha. Quero ficar por aqui e cuidar das nossas riquezas. Aqui tem muito o que fazer e, depois, não consigo me imaginar vivendo longe do fascínio deste lugar.

— Nem eu. Vim aqui passar umas férias e nunca mais voltei para a minha cidade.

— Você é de onde, mesmo?

— Sou de Patos de Minas – comentou Eduardo, cheio de lembranças.

— "Triângulo mineiro"?

— Isso mesmo.

— Cara, os moleques estão chegando. Vou nessa, dar minha aula – diz JC.

— Deixe a aula de hoje comigo. Vá terminar sua apostila. Quero ter o meu mérito quando você for o biólogo mais famoso da Ilha Grande.

— Obrigado, mas não posso aceitar. Gosto de dar as minhas aulinhas. Não se esqueça de que estou de férias, surfar é meu lazer – brinca JC, rindo. – Depois termino de ler a apostila.

— Não, hoje eu cubro sua aula e não se fala mais nisso. Como você é meu amigo, tenho um favor para lhe pedir – diz Eduardo.

— Mande. Desde quando se preocupa com a minha educação? – questiona JC rindo, meio curioso.

— Não seja mau, sabe que me preocupo com você, sim. Desta vez, quero apenas um empurrãozinho para conhecer melhor a Isabela.

— Hum! Ajudar com meus estudos... Sei! Me liguei...! Interessado demais na minha irmã, *playboy*. Meu pai vai gostar de saber disso. Se ele perceber gracinhas da sua parte com a Isabela, pode ter certeza, que será convidado para uma boa conversinha ao pé de orelha. Esqueci-me de falar que, se fizer minha irmã de boba, eu mesmo faço um estrago nas suas fuças.

— Pare de *show*, valentão... Sabe que sou louco por ela. Quero apenas uma chance. E, por enquanto, o seu pai não precisa saber. Nem sabemos se ela se interessa por mim.

— Tá bom. Talvez você seja um cunhado bonzinho. Mas fique esperto, hein?

JC se levanta, abraça Eduardo e cambaleia tonto. Eduardo o acomoda na areia e pergunta, com aparente preocupação:

— O que houve? Você se alimentou bem hoje? – JC balança a cabeça, concordando e diz:

— É apenas um mal-estar.

Eduardo chama Ricardinho, que brinca próximo, com um grito. O garoto atende rapidamente e vem ver o que está acontecendo. Quando chega perto, depara-se com João Carlos sentado na prancha, completamente pálido. Pergunta:

— O que aconteceu?

Eduardo responde à pergunta do garoto com uma informação:

— Seu irmão está novamente com tonturas.

Eduardo pede a Ricardinho para falar sobre o assunto com Marisa. Afinal, não foi a primeira vez que isso aconteceu.

JC teima em dizer que está apenas estressado por causa do vestibular. Eduardo insiste para que ele vá para casa e avisa que, se ele não contar à mãe, ele mesmo vai à casa do garoto avisá-la sobre as tonturas e desmaios que JC vinha sofrendo ultimamente. JC não se dá por vencido:

— Eduardo, não tem motivos para tanta aflição. Minha mãe já tem problemas demais.

— Vá com calma, garoto. Quer dizer que a sua mãe tem problemas demais e não pode se ocupar de você? Que história é essa? Dorme com uma bobagem dessas. O aviso está dado. Ricardinho, leve seu irmão para casa e não o deixe sair até que o sol fique mais brando.

Ricardo obedece prontamente.

— Ok! – Vamos para casa, JC?

— Tchau, Eduardo – despedem-se os dois –, até amanhã!

— Cuide-se, biólogo. Nossos tubarões e baleias precisam de seus cuidados – responde rindo.

Eduardo se ocupa dos alunos de JC, enquanto os dois desaparecem na esquina da ruela, depois do quiosque.

8

Angra dos Reis

Na bela casa do avô de Maria Paula, Lucrécia está terminando de servir o café da manhã. Os potes que adornam o armário da cozinha contêm toda a espécie de ervas, temperos e especiarias necessárias ao preparo das refeições.

Aquele cômodo da casa tem o inconfundível cheiro de infância e cada aroma remete às lembranças de bons momentos vividos no passado.

Matheus, todo afobado, puxa Olímpio pela mão e senta-se à mesa. Lucrécia sorri e diz:

— A comida não vai fugir, mocinho. Por que essa pressa toda?

— Porque quero ir logo à praia.

Olímpio diz alegremente:

— A praia também não sairá do lugar.

— É que as férias acabam rapidinho. Não posso perder tempo.

Lucrécia e Olímpio se divertem com a euforia de Matheus e acompanham, com os olhos, as meninas que chegam para o café.

— Vocês vão à praia com a gente? – pergunta Matheus.

Maria Paula ia aceitar, quando Bárbara a desencoraja com um olhar.

— O sol está lindo, mas hoje poderíamos passear na cidade. Eu não conheço nada por aqui e MC (como chamava a amiga carinhosamente) poderia me mostrar Angra dos Reis.

— Meninas, se quiserem ir à praia, a hora é esta. O sol da manhã faz muito bem para a saúde. Deixa o passeio à cidade para mais tarde.

— Elas são viciadas em internet. Tenho certeza de que, se não forem à praia, vão preferir namorar pelo bate-papo – implica Matheus, fazendo careta para Maria Paula.

— O que você tem a ver com isso, pirralho?

— Devia seguir os conselhos do vô e tomar um sol, sabia? Já se olhou no espelho? Parece leite. Que nojo! – continua Matheus.

— Vozinho, hoje eu quero ir ao *shopping*. A praia fica para amanhã. O senhor leva a gente?

— Bem, vou pedir para levá-las. Eu vou curtir a praia com o meu neto favorito. Mas ainda acho que deveriam aproveitar o ar puro da manhã. Enfim, vou falar com o barqueiro. Por que não convidam a sua mãe para ir junto?

Estela senta-se à mesa sorridente, com os óculos escuros firmando os cabelos como se fosse uma tiara, demonstrando que havia dormido muito bem. Cumprimenta a todos com um sonoro bom-dia e pede uma xícara de chá para Lucrécia:

— Traz um daqueles seus chás maravilhosos, por favor, Lucrécia – em seguida, dirige-se às meninas:

— O que as mocinhas vão fazer hoje, além de ficar navegando pelas redes sociais? Poderiam tirar férias também do computador portátil, dos celulares... Que tal?

— Ah, mãe, como sobreviver sem o meu celular?

— Queremos ir ao *shopping*, completa Bárbara. Já pedimos ao senhor Olímpio e ele vai falar com o barqueiro.

Ele concordou com a cabeça e elas continuam:

— Você quer ir com a gente?

— Quero, mas precisamos sair logo, para não perder tempo.

— Maravilha! – exclamam em coro, as meninas.

Olímpio segue em direção ao ancoradouro e dá as orientações para que o marinheiro leve Maria Paula, Estela e Bárbara até a cidade. Depois, caminha em direção à praia com Matheus e inicia uma competição para ver quem cata mais conchinhas. Assim, a manhã passa rapidamente.

Estela parte com Maria Paula e Bárbara em direção a Angra dos Reis, e o roteiro já está pronto em sua mente: elas iriam caminhar um pouco, passear no *shopping* como as meninas desejavam, mas sabia que mais tarde elas entenderiam que os melhores passeios de Angra dos Reis eram os náuticos, realizados em pequenas traineiras ou em lanchas rápidas. Estela também sabia que, para descobrir os encantos daquela terra mágica, precisava ser devagar. As meninas perceberiam isso aos poucos. Afinal, inconstância e inquietação são as características mais marcantes dos jovens.

Ela admirava a facilidade em diversificar e de se adaptar às novas situações sem muita reflexão, tão comum aos adolescentes. Por esse motivo, fazer escolhas, assumir os riscos das decisões e responsabilizar-se pelas escolhas dos filhos eram para ela e o marido questões fundamentais para o futuro deles. Afinal, também já foram jovens e sabiam muito bem que eles querem viver tudo ao mesmo tempo. Portanto, dar assistência às necessidades e carências das crianças fazia parte do seu manual de mãe criteriosa.

***

Enquanto isso, a vida na ilha de Provetá transcorria simples, como de costume.

Salvador, avô de JC, está na praia contando histórias da ilha para a criançada e o neto Ricardinho também se senta na areia para ouvi-lo.

— Hoje vou contar um pouco sobre a Ilha Jorge Grego. Alguém sabe por que a ilha tem este nome?

— Não sabemos – gritam todos de uma só vez.

— Conta, conta, conta!

— Jorge Grego é um refúgio de milhares de espécies de aves marinhas, que habitam seus enormes paredões de rocha.

Os ouvidos dos pequenos espectadores estão atentos, em absoluta concentração, ouvindo aos relatos do velho pescador aposentado.

— Reza a lenda que, há muito tempo, um navio grego que viajava nas proximidades da ilha perdeu toda a sua tripulação num naufrágio, restando apenas o capitão, sua filha e um tripulante. Os sobreviventes viveram ali, até o dia em que Jorge Grego, o capitão, descobriu o envolvimento amoroso da filha com o marinheiro. Ele matou os dois e depois se suicidou, pulando de um penhasco. Por isso, a ilha foi batizada com o nome do capitão "Jorge Grego". Daí surgiu a lenda de que os mortos viraram fantasmas e vivem vagando por lá até hoje.

Fatigado pelo calor do dia, ele tenta se despedir das crianças com um sorriso nos lábios. – Por hoje é só, criançada. – Mas ninguém deixa: "Ah! Continua!".

Seu Salvador não resiste e conta mais uma. Termina uma história e logo inicia outra. Quando finaliza a última narrativa daquele dia, os pequenos fãs batem palmas e se dispersam, não antes de ouvir a promessa de uma nova sessão de histórias no dia seguinte. Aquele ritual se repetia todos os dias e já era tradicional por ali. Até os adultos paravam para ouvi-lo vez ou outra.

***

E os dias transcorrem sem nenhuma grande novidade. Matheus e Olímpio aproveitam as manhãs frescas para andar de bicicleta, pescar na praia ou no lago particular da propriedade, enquanto Maria Paula, Bárbara e Estela passam os dias revezando entre *shopping*, passeios de barcos pela costa e, às vezes, uma caminhada no fim do dia. Nada muito radical.

Na aldeia de Provetá, a rotina é sempre a mesma: os pescadores puxando suas redes, os turistas tomando sol, as crianças fazendo castelos à beira-mar, enchendo de água os buracos que cavavam e, alguns, aprendendo a surfar. JC e Eduardo se divertem, apreciando a movimentação, escorados em suas pranchas e conversando animadamente.

— O que você acha disso? – pergunta Eduardo, apontando para as pessoas.

— Para falar a verdade, não gosto muito. Que os agentes de turismo não me escutem, mas não me agrada muito ver nossa ilha abarrotada de gente todos os verões.

— Quando vai me levar para conhecer a sua cabana? – quer saber Eduardo.

— Em breve – JC dá de ombros.

— Quero ver qual será a desculpa desta vez. Faz tempo que você promete me levar e, no último momento, inventa alguma coisa. Já percebi que não quer dividir com ninguém o seu refúgio, mas eu sou seu amigo e mereço conhecer esse lugar tão deslumbrante que você descobriu na Ilha Grande.

— Você vai conhecer em breve, ok?

— Breve, quando?

— No próximo fim de semana, está bem?

— Ok! Você se lembra de quando pintamos e colocamos uma placa na trilha da praia das Ágatas, proibindo a entrada de estranhos? Lembro a cara da sua mãe, quando viu você coberto da cabeça aos pés por aquela mistura estranha de tinta e areia.

— Lembro também que tomamos a maior "chamada" do pessoal da prefeitura por causa disso – diverte-se JC.

— Ninguém pode nos culpar por querer proteger nossos santuários. A praia das Ágatas possui as mais lindas pedras brilhantes e corais da ilha.

— Bobagem a nossa! Os turistas acabam sempre chegando – lamenta Eduardo.

— Mas a gente não precisa facilitar – responde JC, sorrindo.

9

Relembrando o passado

Maria Paula está deitada na sua cama, enquanto Bárbara está diante da tela do computador. As duas conversam animadamente sobre a ida ao *shopping* daquela tarde e planejam o dia seguinte.

— Gostou do meu novo *short* branco? – Maria Paula aponta para o pacote.

— Quem não vai gostar será o seu pai – responde Bárbara, com uma careta.

— Ah...! Ele não vai ligar! E aqui é território praiano, sabia? As pessoas estão acostumadas a usar poucas roupas.

— Não é pelo tamanho do *short*, é pela conta do cartão de crédito. É ele quem paga, né não? – pergunta, rindo.

— Sim, é ele..., mas ele não é pão-duro – diz ela, jogando um travesseiro na amiga. Bárbara devolve o objeto e começa a guerra de travesseiros.

Ao entrar no quarto para chamar as garotas para comer, Estela é acertada por um deles. Bem-humorada, cai também na brincadeira por um tempo, mas logo acaba com a farra. A hora do jantar é sagrada e descem juntas para a sala, onde todos as esperam ao redor da mesa. Depois de comerem,

Estela pede licença e vai repousar na sala de estar. Com Matheus deitado ao seu lado, envolve-se com a interessante leitura de um romance. Maria Paula e Bárbara convidam Olímpio para ver o luar no cais, deixando-o muito feliz com a sugestão. Afinal, sentia que as meninas estavam sendo envolvidas lentamente pelo encanto do lugar.

— Vovô, por que o senhor mora tão longe da gente?

— É uma longa história.

— Pode me contar um pouco? Não quero ser enxerida, mas, às vezes, gostaria de saber por que você deixou a nossa empresa tão cedo e veio morar aqui.

— Filha, eu sou um homem que viveu de tudo um pouco. Tive o privilégio de ter conhecido o verdadeiro amor e desfrutar do convívio de uma família muito feliz. Lembro-me, como se fosse hoje, do dia em que conheci a sua avó. Ninguém imaginava que aquela mulher pequena, de aparência frágil, era tão forte, decidida e guerreira. Ela era a minha força vital. A sua existência aliviava as minhas crises internas, impulsionando-me a desfrutar mais intensamente os momentos que tínhamos à disposição. Com ela aprendi que não vale a pena ser apegado a coisas meramente descartáveis, que não morremos quando deixamos o nosso corpo. Ela era uma pessoa sedenta por trocas de experiências e sempre me preparou para viver em outra dimensão. Amava a família com toda a dedicação e não desperdiçava um único dia. Quando morreu, perdi meu chão e meu coração ainda sangra de saudade. Naquela ocasião, o seu pai já mostrava um grande talento para os negócios e o poder de liderança, inerente aos Menezes. Resolvi deixá-lo, durante um tempo, no meu lugar, enquanto me recolhia aqui, o lugar predileto da minha doce Amália. Mergulhado em minha dor, não percebi que os dias viraram meses e os meses transformaram-se em anos, não conseguindo mais voltar. Seu pai se entregou ao trabalho, certamente para esquecer o sofrimento pela perda da mãe, e acho que a dor, que deveria nos unir, acabou nos afastando. Eu me enterrei aqui e ele, no trabalho. Dessa vez, vou abrir o meu coração e conversar com ele sobre isso. Uma perda não justifica a outra.

— Meu pai é um homem maravilhoso, vô.

— Eu sei. Esqueceu que ele é meu filho e que eu o conheço muito bem?

— Não, não esqueci. Ele disse que vem ficar conosco durante uma semana, talvez quinze dias. Aproveite e ponha para fora toda essa dor. Conversar sobre o assunto fará bem para vocês dois e certamente a vovó ficaria muito feliz se pudesse vê-los próximos outra vez.

— Tomara que venha mesmo; assim, vamos ter um tempinho para colocar o papo em dia. Amo muito o meu filho e quero dizer-lhe isso claramente. Não basta sentir e guardar. Todo amor precisa ser expresso enquanto ainda estamos vivos. Qualquer pessoa que tenha passado por esse tipo de perda se torna triste e dolorida. A saudade é constante, mas é necessário seguir em frente. Vivi o meu luto aos poucos, já que não pude negociar com a morte, e aprendi com a sua avó que o falecimento não encerra a vida e, portanto, não pode derrotar toda a nossa esperança e fé no Criador. Ainda consigo ouvir o som da sua voz, quando a saudade aperta e observo as suas expressões delicadas em nossas fotos, mas hoje a dor se foi. Restaram lembranças, boas recordações e muitos ensinamentos. Com ela aprendi que somos meramente finitos, feitos de amor e luz.

Maria Paula ficou pensativa ouvindo o seu velho avô e uma lágrima rolou faceira pelo seu rosto. Sentiu uma vontade imensa de ter conhecido aquela mulher que ele descrevia tão encantadoramente.

10

Estranhas sensações

— O que temos hoje para o jantar, Marisa? – pergunta Salvador, passando a mão na barriga.

— Peixe assado com batatas, salada de legumes frescos e arroz à brasileira. Para a sobremesa, sorvete de leite com flocos de chocolates.

Estão todos ao redor da mesa para o jantar e Maria do Socorro reclama a ausência do neto.

— JC ainda não chegou?

— Chegou sim, vó. Não quis comer, está todo malcriado, dando coice até no vento. O Ricardinho já comeu e, como sempre, está no quarto com ele – avisa Isabela.

— Será que é excesso de sol? Já pedi tanto a Deus que esse menino deixe o *surf* um pouco de lado, mas não tem jeito, fica o dia todo na praia. Sei que sol demais não faz bem. Cozinha os miolos – diz Marisa.

— Mãe, ele dá aulas de esporte. Tem de treinar para ficar em forma – defende Isabela.

— Eu sei, minha filha, mas estou preocupada. Ricardinho me disse que ele passou mal na praia, outro dia, teve tonturas; e o vestibular se aproxima.

— Ele tem estudado à noite – afirma Isabela.

— Então é por essa razão que está agressivo. Se não dorme bem, fica indisposto – opina Salvador. – Já é a segunda vez que ele não chega bem.

— Enquanto ele descansa, vou colocar um prato pronto na geladeira. Ele pode aquecer no micro-ondas quando acordar. Amanhã, se ele não melhorar, vou levá-lo ao médico.

— O médico dele é a prancha e a bola – brinca Isabela.

— Deixa de ser implicante.

— Ih... mãe! Estou apenas brincando.

— Vamos jantar em paz, meninas – diz Salvador. – E passa a salada, por favor.

JC, deitado, está pensativo. Alguma coisa o está afligindo, mas não sabe o que é. Não tem nenhum motivo aparente para aquela aflição. Sente-se grato pela vida que tem – um verdadeiro privilegiado. Mora em um lugar onde muitos sonhariam em viver. É bem verdade que a sua família é pobre, mas todos levam uma vida digna, ele faz aquilo que gosta... Então, por que aquele aperto no peito? Observa seu irmão com carinho. Ricardinho brinca no chão, próximo à sua cama, e conversa com a avó que, sentada numa cadeira, no canto do quarto, faz o seu bordado, tranquila.

— Vó, o que tem de errado com JC?

— Nada, meu filho. Ele apenas tem apanhado muito sol. Pela manhã já estará novinho em folha, você vai ver.

O visual do amanhecer na praia de Provetá é arrebatador. Seus lençóis de águas transparentes e as exóticas espécies marítimas desenham a grandiosidade de um cenário rico e imponente: um verdadeiro cartão-postal da Ilha Grande, semi-oculta do resto do mundo.

Esse despertar do dia na ilha é um convite ao qual ninguém, turistas e nativos, consegue resistir. A garotada, já bem cedo, reúne-se na praia para jogar futebol ou mergulhar nas águas cristalinas.

JC, como sempre, foi um dos primeiros a chegar. Deu um mergulho para renovar suas energias; se estirou sob o sol e sentiu os raios penetrarem em todo o seu corpo. Como era gostosa aquela sensação de fazer parte daquele cenário... De ser livre para viver tudo aquilo!

Logo chegou o grupo de amigos inseparáveis, que desde a infância compartilhavam da vida escolar e social ao lazer, e o resgataram para a primeira partida de futebol do dia. Os dribles e os passes bem feitos confirmam sua vaga cativa no time. Ele joga muito bem e se orgulha de ter talento para os esportes, mas sente-se cansado, muito cansado. Perde um gol. Sente-se um pouco tonto e enjoado, precisa parar. Sai do jogo e vai se sentar próximo aos companheiros, na margem do campo improvisado na areia.

— Você está bem? – pergunta um deles, assim que JC se senta.

— Estou. É apenas uma indisposição.

— Você precisa ir ao médico, cara – tenta convencê-lo outro colega.

— Que nada! Tenho dormido pouco por causa do vestibular.

— JC, com saúde não se brinca. Conhece esse ditado popular? É um ditado muito certo. Você deve ir ao médico — insiste ainda outro amigo.

— Vou ao médico – afirmou João Carlos enquanto descansava sentado na areia.

Depois de se recuperar da incômoda indisposição, JC retorna ao jogo, ora cruzando de direita ora de esquerda, sob o olhar efusivo do irmão, sua "sombra constante", que usava toda a sua criatividade para descrever os lances mais importantes com elogios rasgados, indignação e a excitação de um respeitado profissional de transmissão esportiva. Ele usava até bordões "um pra lá, dois pra cá", "vai, irmão, que essa é sua", "E é gol" e, claro, achava que o time do JC era o melhor da região.

Quem o ouvia era contagiado por sua narrativa emocionante e, para finalizar com louvor, cantava o hino que orgulhosamente inventou para o time.

***

Olímpio e Estela sentaram-se à mesa para o café da manhã, enquanto Lucrécia servia, entre outras guloseimas, um pão fresquinho, recém-saído do forno.

— Bom dia, seu Olímpio. O senhor viu as meninas? Fui chamá-las para o café, mas não estavam no quarto – afirma Estela.

— Tomaram café mais cedo e foram à praia – respondeu Olímpio, com um ar de satisfação.

— Será que aconteceu alguma coisa? Maria Paula não costuma acordar tão cedo.

— O ar fresco da ilha faz milagres nas pessoas, Estela. Ela deve ter sido finalmente seduzida pela beleza deste lugar.

— Pode ser. Também, quem será que visita este paraíso e não fica assim? O senhor mesmo conta sobre a lenda que diz que quem beber da água da Bica da Carioca não consegue mais deixar a cidade e apaixonar-se imediatamente pela primeira pessoa em que bater os olhos.

— Você pode não acreditar, mas essas lendas trazem muitas verdades ocultas, minha filha. Eu mesmo vim aqui passar férias, acabei comprando esta casa que, com o passar do tempo, transformou-se no meu lar. E aqui eu guardo a melhor parte da minha história.

— Não tem saudade de São Paulo?

— Não. Tenho saudades apenas da minha família.

— Só falta a Lucrécia acreditar nessas lendas e servir da água dessa bica para todos – fala Estela rindo ao fingir que acreditava na lenda.

— Na verdade, ela mantém um galão na cozinha e certamente já ofereceu uma porção para as meninas – pisca os olhos em tom de brincadeira. – Você mesma tomou desse líquido milagroso anos atrás, não se lembra?

— Claro. Deve ser por isso que amo tanto o seu filho.

— Vai brincando, vai... – finaliza Olímpio.

O dia amanhecera lindo demais. Céu azul, sol brilhante. Podia-se dizer que os 500 metros de águas claras e a areia grossa de Provetá foram projetados para os apaixonados. Porta de entrada para a praia do Aventureiro e Demo, caminhar pelos pontos turísticos da região, como a Verga e a Pisirica. Visitar os locais onde se tem a mais bela vista do mar aberto, ver o nascer e o pôr do sol tornava apaixonados até os mais endurecidos de coração. A extravagância da natureza mexia com a sensibilidade de qualquer um.

Assim que abrira as cortinas do quarto, Maria Paula pensara que algo de maravilhoso poderia acontecer num dia como aquele. Tinha o desejo de viver um momento único, daqueles para ser registrado em seu diário. Tinha um bom presságio; a beleza que contemplava janela poderia dar um charme a mais à sua estadia na ilha.

Ela e a amiga Bárbara caminhavam pela praia em busca de um bom lugar para tomar o sol da manhã. Ao longo da faixa de areia amarelada e brilhante surgiu um grupo de amigos jogando futevôlei. Disputando lugar entre as tendas, os ambulantes e os banhistas, as meninas resolveram instalar a barraca num espaço próximo ao jogo e se acomodaram em suas cadeiras reclináveis. Por detrás dos óculos escuros, elas observavam a rapaziada sentada na areia.

— Olha só que gatinhos! – Bárbara apontou com o olhar, levantando as sobrancelhas num gesto de cumplicidade.

— Aqui só deve ter pescadores – Maria Paula finge desinteresse, para implicar com a amiga.

— Quem liga se for com um pescador lindo como aquele ali? – continua Bárbara.

— Eu ligo – afirmou Maria Paula, com uma careta.

— Vamos tirar umas fotos para atualizar os nossos perfis na internet?

— Claro. Hum! Nossas amigas morrerão de inveja. Aqui é muito lindo – suspira ela com prazer.

— É... E com esses deuses gregos no cenário, fica ainda melhor. Nossos amigos não precisam saber que são "da terra". Eles estão bem à altura dos garotos de Ipanema ou dos Jardins, não acha? – zomba Bárbara.

— Ai, como você é boba! Já disse que meu olhar é mais seletivo que o seu.

— Tá. Não vou discutir. Logo vou ver você escorregando esse "olhar seletivo" para alguns desses maravilhosos rostinhos bronzeados – desafiou Bárbara.

— Sabe uma coisa que não entendo? Por que sua família raramente vem para cá, com seu avô morando aqui. Se existem boas definições de paraíso, eu diria que esse lugar é uma delas. Para o Éden não falta nem a serpente – brinca, olhando para os meninos. – Certamente com tantas maçãs maduras, o que não falta aqui é cobra.

Maria Paula ri do comentário e responde:

— É uma longa história... Depois te conto.

Ela segue em direção ao ambulante e pede duas águas de coco. De volta, oferece uma delas para a amiga e senta-se. A menina agradece e comenta que os garotos sentados na plateia do jogo não tiram os olhos da barraca onde elas estão. Maria Paula, disfarçadamente, desvia seu olhar e observa JC. Fica deslumbrada com ele. Mesmo estando um pouco afastada, pode perceber os espessos cabelos louros, com as pontas desbotadas, e o corpo atlético do rapaz, com um bronzeado dourado e muito forte.

Bárbara segue o olhar da amiga e faz um comentário implicante:

— O que aconteceu com o seu orgulhoso olhar seletivo? Não devia olhar, afinal, aquele deve ser um nativo da ilha.

— Como sabe? Aqui está cheio de turistas.

— É só observar o queimado dos seus cabelos e a cor do bronzeado. Tá vendo muitos iguais a ele por aqui?

— É. Você tem razão. Deve ser um filho de pescador – fala em tom de troça, sem disfarçar o brilho nos olhos.

Os amigos da praia logo perceberam que estavam sendo observados, mas somente JC resolve ir falar com as garotas. Antes, dá um mergulho para tomar coragem.

Sabia que elas não eram do local. Precisava chegar de forma original, provocando uma boa impressão, fazendo bonito. Caminhou para a água conversando com os amigos, como se não percebesse a presença das duas, mas aquela era apenas uma estratégia. Na verdade, estava exibindo seu corpo bronzeado e, assim que chegou ao mar, mergulhou, mostrando que conhecia bem aquelas águas.

Retornou rapidamente à areia e se sentou, contraindo-se de dor no abdômen. Buscou respirar com calma para controlar o desconforto.

— Droga... Droga... Droga! – falava baixinho.

Bárbara, que segue JC com o olhar, comenta com a amiga sobre o ocorrido.

— Acho que o garoto louro está passando mal.

— Deve ser truque para chamar a nossa atenção – diz Maria Paula.

— Acho que não – responde, caminhando em direção ao local onde JC está sentado.

Maria Paula a segue correndo, enquanto a amiga rindo, diz, provocativa:

— Aproveite e exercite a sua vocação. Você não disse que vai ser médica? O paciente merece todo esforço e dedicação de sua parte.

— Você não perde uma oportunidade para fazer piada.

— A vida é breve, amiga. Não podemos perder tempo, ele não volta, só avança, e avança rápido. Só vou dizer isso uma vez, viu?

Chegando mais perto de onde estava o garoto, elas se dirigem a JC, perguntando:

— O que aconteceu? Está precisando de ajuda?

— Nada demais. Estava tentando impressionar as garotas mais lindas da praia e me dei mal. Acabei sentindo dor no estômago – diz ele, olhando diretamente para Maria Paula.

Ela fica um pouco constrangida com a espontaneidade do rapaz, sorri meio sem graça, vira-se e vai até a barraca mais próxima, compra água e retorna. Entrega a garrafa ao jovem e o orienta:

— Levante a cabeça, beba devagar e respire fundo para relaxar. Contraia o abdômen com força e torne a respirar. Continue fazendo isso por mais algum tempo.

Os meninos continuam na água e, ao perceberem que João Carlos está na areia conversando com as garotas, comentam cheios de malícia:

— Olha lá, o esperto do JC. Não perdeu tempo e tá passando a perna na gente – comenta um deles.

— Vamos lá. Ele não pode ficar com as duas – afirma o outro.

Os amigos se aproximam correndo. Logo tomam conhecimento do ocorrido. JC agradece às meninas pela preocupação e afirma que já está se sentindo melhor. Maria Paula o observa em silêncio.

— Obrigado pela ajuda, meninas!

— Pelo quê? Não fizemos nada, só lhe trouxemos água e demos duas dicas – comenta Bárbara.

— O que houve JC? – pergunta Eduardo, chegando mais perto quando percebe o movimento.

— Tive o meu habitual mal-estar. Agora tá virando rotina – afirma, fazendo um gesto de brincadeira.

— Cara... Desta vez você vai prometer que vai ver o que está acontecendo. Não pode continuar fingindo que está tudo bem.

— Prometo. Até eu tô ficando preocupado – diz pensativo. Fica sentado na areia até sentir-se bem, despede-se das garotas e dos amigos e volta para casa.

— Valeu, galera! Pode deixar que eu vou procurar um médico. Palavra de surfista!

— Vai embora sem dizer o seu nome? – pergunta Bárbara, maliciosa.

— João Carlos, mas pode me chamar de JC. É como meus amigos me chamam.

— O meu é Bárbara e o dela é Maria Paula.

— Valeu! A gente se vê por aí. Vocês vêm à praia amanhã?

— Pode apostar que sim! – respondem as duas ao mesmo tempo, entreolhando-se.

Depois que os meninos se foram, elas recolheram a barraca, as cadeiras, todos os demais apetrechos e voltaram para casa. O sol estava ficando quente demais e, para completar, estavam mortas de fome. Certamente, Lucrécia só devia estar esperando por elas para servir o almoço.

Entrando pela porta dos fundos, seguiram para os quartos e foram tomar banho, antes de comer. No corredor, Bárbara ainda faz uma piada:

— Você já tem seu primeiro paciente, não é amiga?

Maria Paula sorri da brincadeira, finge estar envergonhada e dá uns pulinhos. Mesmo assim, sente ondas de arrepios e enrubesce ao se lembrar do lindo jovem de pele dourada.

— Que lindo! Tá ficando vermelha. Será que foi flechada pelo cupido da paixão? E o pior, tenho certeza de que ele é filho de pescador.

— Que paixão que nada! Você deve estar louca. Acabamos de conhecer os garotos e você só fala nisso. Você é que deve estar cheia de vontade de se apaixonar.

— Até que o grupo é bem bonitinho, mesmo. Quem sabe, vale investir... O JC ficou a fim de você. Percebeu como não parava de te olhar?

— Nada a ver! – Maria Paula diz, fechando a porta do banheiro atrás de si.

— Sei... – grita Bárbara bem perto da porta para fazer a amiga escutá-la.

11

No mundo da lua

JC não retornou à praia e ficou solitário, no quintal de casa, contemplando o entardecer. Mas seus pensamentos voavam distantes. Aquela linda menina de fartos cabelos levemente encaracolados não saía de sua cabeça. Uma sensação de encantamento tomou conta do rapaz. Era a garota mais linda e delicada que já conhecera. Mesmo se contorcendo em dor, não lhe passou despercebida a suavidade do perfume que usava. Gostou do que sentiu e chegou a pensar em passar no barbeiro e aparar um pouco os cabelos.

"Não acredito que estou pensando em melhorar a aparência para chamar a atenção de uma menina" – disse a si mesmo.

Maria do Socorro conversava com Isabela, enquanto Marisa, sentada à máquina de costura, dava os arremates finais a um vestido de festa.

— Vamos ao convento São Bernardino de Sena amanhã? – pergunta Maria do Socorro a Isabela.

— Hum, vozinha! Amanhã não dá, preciso ir à cidade procurar por algumas apostilas.

— Por que não aproveita um pouco seu tempo livre? Quando estiver mais velha, vai sentir saudade das férias, viu?

Olhando para o sofá, Maria do Socorro percebe a distração de JC e o traz de volta à realidade.

— Meu filho, como foi o seu dia hoje?

O garoto, imerso em pensamentos, não ouve a avó. Foi a vez de Isabela tentar trazê-lo de volta à Terra.

— Acorda JC! Você está em Marte, na Lua... Onde? Vovó está falando com você.

— Que foi? – "Garota chata" – pensou ele, contrariado.

— Vovó quer saber como foi o seu dia. Na verdade, se bem a conheço, ela quer saber sobre certa dor de estômago que o Ricardinho comentou que vem sentindo.

— Você está bem, filho? – perguntou Maria do Socorro preocupada.

— Estou vó. Apenas pensava...

— Pensando a essa hora, com o olhar perdido?!Hum! Isso é coisa de mulher! – afirmou Isabela.

— Tá falando de quê?

— Dessa sua cara, de quem acabou de ver passarinho verde, azul, amarelo... – Isabela riu.

Maria do Socorro interrompeu, apaziguando a situação:

— Não precisam brigar sem motivos, meus queridos.

— Não estamos brigando, vovó. Só conversando – falou a sorridente Isabela.

Ricardinho entra correndo e se joga ao lado do irmão, curioso para saber por que ele está em casa tão cedo.

— O que houve com você? Tá com dor ainda? Por isso não voltou para a praia?

— Caramba Ricardinho. Dá para ficar com a boca fechada?

— Desculpe mano, mas vou contar para a mamãe que você está com dor de barriga.

Maria do Socorro chega mais perto dos garotos. Ela quer saber um pouco mais sobre o problema de saúde do neto. Ricardinho se afasta abrindo espaço para a avó se sentar entre ele e o irmão.

— Qual é o segredinho dos dois?

— Não tem segredo nenhum, vó.

— Como não tem? Sou velha, não surda. Eu ouvi o seu irmão comentar sobre alguma coisa que aconteceu hoje na praia e você ralhou com ele. Algo sobre dor de barriga. Ele já me falou sobre essa tal dor. Ricardinho, o que aconteceu hoje na praia com seu irmão? Ontem você disse que ele sentiu dores. Isso se repetiu hoje? Conte-me o que está acontecendo sem esconder nenhum detalhe – insistiu a senhora.

— Os garotos do time disseram que João Carlos veio mais cedo para casa porque não estava se sentindo bem. Ele quase se afogou por causa de uma dor.

— Isso é verdade, meu filho? – perguntou a avó, cheia de preocupação.

— Bem, parte é verdade. Passei mal na praia, sim, mas sobre o afogamento, é exagero.

Maria do Socorro se aproximou mais de JC e observou que o neto estava com alguns pequenos hematomas. Passa as mãos sobre estes e ele se encolhe esquivando-se da dor.

— Não aperta. Estas marcas estão todas doloridas, vozinha!

— Precisamos ver isso, meu filho.

— Tá bom... Mas agora vou me deitar. – Ele deu um beijo na avó e se trancou no quarto.

Maria do Socorro continua sentada com o semblante preocupado. A avó se virou para Isabela e disse:

— Vou falar com a Marisa sobre isso e vamos procurar um médico para esse menino. Essas manchas doloridas são muito estranhas.

— Ainda bem que Ricardinho não tem trava na língua e conta tudo. Se depender de João Carlos, a gente nunca fica sabendo de nada... Nem as coisas importantes ele comenta – diz Isabela, segurando as mãos da avó.

— Ele não gosta de preocupar a sua mãe – afirmou a avó pensativa.

— Eu também não, mas ela precisa saber das coisas que acontecem com a gente, a senhora não acha?

— É para cuidar dos filhos que servem as mães – resmungou – e os avós também – completou.

12

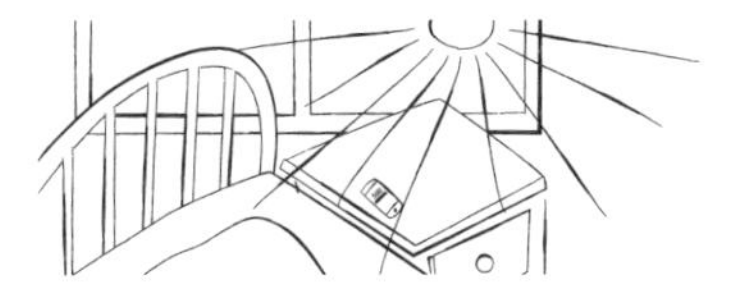

Mudando os hábitos

Acabara de tocar o pequeno despertador que Maria Paula havia colocado sobre o criado-mudo de madeira laqueada, que combinava harmoniosamente com toda a decoração refinada do quarto que ocupava. Eram sete e meia da manhã, uma luz dourada entrava pela fresta da cortina iluminando o ambiente. Todos ainda dormiam. Bárbara, a sua melhor amiga, na outra cama; Xirua, a cadelinha, sob o edredom ao seu lado. Os demais, nos outros aposentos, igualmente grandiosos e de bom gosto. Ainda sonolenta, procurou o botão para desligar o despertador. Esfregou os olhos com as mãos fechadas e dedicou o primeiro olhar ao animal, que observava os seus movimentos, cheio de preguiça.

— Não me olhe assim! Acha que sou um E.T. por acordar tão cedo?

Ao ouvir sua voz, a cadelinha se apressou em acomodar-se mais perto ainda de sua dona.

— Vou deixar você quietinha aí, querida. Agora, afaste-se um pouquinho, vou me levantar, comer alguma coisa e dar um passeio. Não me demoro, tá?

Esticou as pernas, deu um grande bocejo, levantou os braços para o alto se esticando toda e saltou da cama na ponta dos pés para não acordar Bárbara. Não que isso fizesse diferença. A amiga dormia tão profundamente que nada seria capaz de acordá-la, mesmo que fosse um abalo sísmico. Arrumou-se e saiu sem fazer barulho. Pelo jeito, apenas Lucrécia estava acordada, já que o cheiro de café fresco se espalhava por toda a casa, num convite silencioso. Foi até a cozinha, tomou uma xícara daquele líquido perfumado pingado com leite, e foi dar uma caminhada na praia.

***

JC acordou com o barulho do vento embalando as cortinas e os raios de sol entrando pela janela, saudando-o com alegria. Ficou olhando preguiçosamente para a luminosidade daquela manhã, tentando segurar um bocejo. Levantou-se rapidamente, trocou de roupa e saiu em direção à praia.

Depois de algumas braçadas e vários mergulhos, saiu da água, sentou-se na areia e fixou o olhar no horizonte, admirando, no infinito, o encontro do céu com o mar, à espera da linda garota que havia conhecido no dia anterior. Mesmo não tendo marcado nada com ela, tinha a esperança de que logo apareceria por ali.

Envolvido por tais pensamentos, assustou-se quando uma voz familiar interrompeu seus devaneios. Fingindo surpresa, ele cumprimentou Maria Paula alegremente, ficando de pé num salto.

— Bom dia, JC. Você está bem hoje? Passou o mal-estar de ontem?

— Bom dia, Maria Paula! Estou bem, sim.

— Hum! Não se esqueceu do meu nome!

— Como eu poderia?

Maria Paula ficou um pouco desconcertada e, disfarçando, perguntou:

— Teve uma noite tranquila?

— Sim. Passei muito bem! Acho que só precisava relaxar um pouco e... ter bons pensamentos – afirmou.

— Seus amigos disseram que ontem não foi a primeira vez que aconteceu aquilo.

— Acho que tenho andado estressado por causa do vestibular.

— Mas foi procurar orientação de um médico?

— Ainda não, mas vou.

— Promete?

— Prometo claro. Com um pedido desse, como posso negar? Ainda nem nos conhecemos direito e eu já obedeço sem resistência. Depois desse papo cabeça, tenho a sensação de que a senhorita é muito mandona.

— Nada disso, apenas fiquei preocupada. Com a saúde não se brinca e isso vale para todas as pessoas – retrucou.

João Carlos observou atentamente Maria Paula por alguns instantes e, com uma piscadela, corrigiu-se:

— Desculpe-me! Não falei com a intenção de magoá-la. Muito pelo contrário. Não magoaria a garota sardenta que tirou o meu sono e ocupou meus sonhos durante toda a noite de ontem – afirmou, olhando-a diretamente nos olhos.

Maria Paula rapidamente desviou o olhar, meio sem graça.

— Ok, está desculpado.

— Sem um sorriso?

Ela sorri e ele brincou juntando as mãos, num gesto de agradecimento, como se fosse um louva-a-deus, descontraindo o momento.

— Você mora aqui, JC?

— Moro. E você, é de onde?

— Moro em São Paulo. Estou passando as férias na casa de meu avô.

— Seu avô é nativo? Quem é ele?

— Meu avô mora aqui há alguns anos, mas não é nativo. Seu nome é Olímpio Menezes. Mora na casa no alto da colina, do outro lado da ilha.

— Por que nunca a vi por aqui antes? Não vem sempre ver o seu avô?

— É uma longa história. – Tentou mudar de assunto, como sempre acontecia quando lhe faziam essa pergunta, mas JC deu um daqueles sorrisos de parar o fôlego de qualquer pessoa, e insistiu.

— Tenho todo o tempo do mundo para ouvi-la.

Maria Paula deu de ombros e começou o relato.

Depois de ouvir atentamente um pouco da história da família Menezes, JC apontou para o horizonte com a cabeça, e Maria Paula, em silêncio, contemplou, deslumbrada, a linda paisagem.

— Como o dia está bonito! Vamos dar uma caminhada? Depois conto mais sobre a minha família.

— Vamos! Você precisa ver uma coisa, fica no fim da praia e vale a pena. Sem contar que a vista é demais!

— Posso imaginar. Então vamos logo!

— Por falar nisso, hoje à noite vai ter um luau na praia do Aventureiro. Você aceita ir como minha convidada?

— Gostaria muito. Posso trazer a minha amiga?

— Claro.

Conversando animadamente, caminharam até o fim da praia. Maria Paula ficou espantada, tamanha a beleza do velho coqueiro envergado, bem rente às águas do mar. A majestosa planta parecia falar aos quatro ventos que, pela sua perseverança, era vencedora em sua luta, sobrevivendo a todas as armadilhas da natureza. Contemplaram a paisagem em silêncio; afinal, não encontravam palavras para descrever a beleza do lugar e nem a emoção que tomava conta dos dois. Ambos sentiam uma nova sensação, um bem-estar acolhedor e uma vontade inexplicável de congelar aquele momento.

— Meu Deus! Sabe que horas são? – perguntou Maria Paula, assustada, percebendo que, pelo barulho do seu estômago, já deveria ser bem tarde.

— Duas horas da tarde – respondeu JC, olhando para o relógio.

— Tenho de ir. A esta altura, minha mãe já deve ter colocado toda a guarda costeira à minha procura.

— Não seja exagerada.

— Fala isso porque não a conhece. Hora de almoço na minha casa é sagrada. A minha mãe gosta que comamos juntos. Tudo bem que estamos de férias, mas mesmo assim vou ouvir sermão.

— Então vamos embora. Não quero que sua mãe morra de preocupação. Nem a sua, nem a minha. Nos vemos mais tarde?

— Sim. Se minha mãe não me colocar de castigo, pode esperar por mim – afirmou com um sorriso.

13

A lenda da Virgem da Conceição

Entre tantas e tão lindas praias da região, o balneário de Provetá se distingue pela natureza exuberante, pelo verde intenso, pelas grutas e cavernas, pelas águas límpidas e transparentes, formando um lindo e exótico aquário natural, fazendo a festa da criançada... E crianças não faltam para ouvir mais uma das histórias de Salvador.

— Qual nos contará hoje? – perguntou Fernanda, espectadora assídua das tardes de lazer proporcionadas pelo velho pescador.

— Hum! Deixe-me ver. Hoje vou contar como surgiu a Padroeira de Angra dos Reis.

— É aquela história dos peixes? – retrucou Marco, um garotinho curioso.

Pacientemente, Salvador explica que vai falar sobre peixes, mas o foco é outro. Todos ficam em silêncio para ouvi-lo.

— Diz uma velha lenda que os nossos ancestrais sempre foram tementes a Deus e que, há muito tempo, houve uma grande tempestade nesta região, trazendo para a nossa praia um belo veleiro que estava a caminho de Itanhaém, litoral de São Paulo. O barco, que transportava uma carga preciosa, sofreu muitas avarias, precisando ficar aportado aqui até que os reparos fossem feitos e estivesse em condições de voltar ao mar, seguindo o seu destino. Nosso povo demonstrou sua solidariedade e soube, pelo comandante, que a embarcação transportava uma belíssima imagem da Virgem da Conceição.

— O que são os nossos ancestrais? – perguntaram alguns.

— Foram os primeiros habitantes da nossa região.

Os olhos das crianças nem piscavam e não perdiam nenhum detalhe das falas do velho pescador, atentas a tudo que ouviam... Elas pareciam teletransportadas para a história. Ele continuou:

— Nossos conterrâneos, mesma coisa que ancestrais – explicou –, mostraram-se desejosos de ver tão bela obra, mas o capitão não permitiu, por estar lacrada a caixa em que vinha a imagem. Passaram-se alguns dias até que os consertos ficassem prontos e o barco partisse da baía para cumprir seu destino. Mas, novamente, outra tempestade se abateu sobre a embarcação, causando novos danos e trazendo-a de volta à nossa praia. Mais uma vez a população angrense – mesma coisa que ancestrais – explica novamente –, pede para ver a imagem, o que foi prontamente negado pelo comandante, em virtude de ser uma carga importante e precisar chegar lacrada ao seu destino. Os marujos consertaram, novamente, as avarias do barco, que voltou a seguir seu caminho em direção à Vila de Itanhaém. Fora das águas da baía, novo temporal se forma. De límpido, o céu se torna um negrume; das águas mansas, vagalhões imensuráveis varrem o tombadilho, a ponto de assustar o mais calejado marinheiro: uma tormenta, em todo o seu furor. Com o barco à deriva, a ponto de afundar, sem a menor esperança de salvação, o comandante pede:

— Salvai-nos, Nossa Senhora da Conceição! Vejo que é de vossa vontade dessa terra não sair. Salvai-nos, que aqui a deixaremos.

— Assim foi feito. O mar se acalma, o barco volta para a nossa praia e o comandante entrega ao povo a imagem da Virgem Imaculada Nossa Senhora da Conceição, que hoje é a padroeira da nossa terra. Conta também a lenda que a embarcação, ao voltar ao nosso porto, foi seguida por um grande cardume de peixes, até então nunca visto nestas paragens. Entre eles, a cavala, o peixe mais saboroso e típico da região. E mais ainda: a espinha do centro da cabeça da cavala pescada em Angra dos Reis tem a forma da imagem de Nossa Senhora. É só cozinhá-la inteira e comprovar.

— Vamos cozinhar a cavala para ver a Santa? – disse Mariana, a garotinha mais animada do grupo.

—... E vão ver que é verdade! – afirmou João Carlos, chegando devagar.

As crianças se despediram barulhentas, na certeza de que ouviriam mais histórias no dia seguinte.

— O senhor é o melhor contador de histórias desse lugar. Conhece todos os detalhes das lendas, das crendices e retrata isso com a sabedoria de um mestre – diz JC, com uma piscadela.

***

Enquanto isso, a família Menezes está reunida no sofá da varanda, inquieta com a demora de Maria Paula.

Estela disca o número do celular da filha, mas sabe que ela não deveria ter ido longe. Deveria ter, no máximo, se entretido com a calmaria de algum recanto da ilha e ter se esquecido da hora. Apesar de Maria Paula não costumar demorar tanto, e mesmo sabendo que nada de grave lhe tinha acontecido, preocupava-se.

— Ela não atende! Continua desligado.

Olímpio comentou com a experiência de quem já viveu bastante:

— Ela deve estar andando pela praia e se esqueceu da hora. Os jovens são assim. Não se preocupam com o tempo. Mas tempo é o que eles têm de sobra, não é mesmo?

— Isso mesmo, afirmou Bárbara. Não adianta ficarmos preocupados. Maria Paula deve estar andando na praia, aproveitando para fazer novas amizades... – afirmou, com ar de malícia.

— Maria Paula não gosta de acordar cedo.

— Dona Estela! Dona Estela! – Lucrécia entra na sala, toda esbaforida. Ela sempre fazia grande alvoroço por tudo.

— Nossa, pegou fogo na casa? – perguntou Olímpio.

— Fale Lucrécia! – diz Estela angustiada – o que houve?

— Nada, senhora. Não aconteceu nada. Nossa menina acaba de chegar.

Maria Paula imaginou que estariam todos preocupados, mas se assustou quando entrou na sala e encontrou toda aquela agitação. A mãe a abraçou, reclamando.

— Maria Paula, onde você se meteu? Por onde andou até essa hora?

— Calma mãezinha. Estou de férias e só fui dar uma caminhada na praia; nem percebi o tempo passar.

— Mãezinha?

— Acordei com vontade de caminhar e de sentir a brisa fresca no rosto – Maria Paula dá uma piscadela para Bárbara.

— Mar, sol e brisa? A "garota *shopping center*" virou naturalista muito rápido. Eu sabia que Provetá era mágica, mas essa repentina simpatia e esse ar dissimulado têm outro nome. Já tive a sua idade, "filhinha". – Estela quase engasga com a própria saliva.

— Oh, mãe, está implicante só porque estou começando a gostar da sua ilha – diz ela, de um jeitinho sapeca.

— Deixe-a, a ilha é cercada de mistérios. Quem sabe ela já descobriu algum? – entremeou apaziguador o avô.

— Está com fome? – sem esperar pela resposta, Olímpio chama por Lucrécia e pede que a governanta prepare alguma coisa para Maria Paula.

— Humm! Estou com fome mesmo, muita fome. Lucrécia do meu coração, pode me servir no quarto?

— Claro! – acena a governanta, enquanto as meninas sobem em direção ao quarto.

Olímpio espera Maria Paula e Bárbara saírem da sala para ralhar com Lucrécia.

— Quando será que você vai aprender a conter suas maluquices?

— Do que está falando agora, velho gagá?

— Do susto que a senhora acabou de nos pregar. Precisava fazer tanta algazarra por conta de um inocente atraso? Se ela não se aventurar a velejar sozinha, acho difícil Provetá oferecer perigo para uma adolescente. Você é uma exagerada.

— Gente velha faz um drama... – debocha Lucrécia.

Estela apenas sorri acompanhando a discussão de Lucrécia e do sogro.

Olímpio aponta em direção a Lucrécia e continua:

— Ah! Vá levar o lanche de Maria Paula e me deixe em paz, sua destrambelhada. Qualquer dia chamo o manicômio. Só uma camisa de força para dar jeito em você. Além do mais... Eu não sou o único velho por aqui.

— Olha só, quem me chama de maluca!

Estela e Matheus se divertem, olhando a cena.

— Até parece que um vive sem o outro – Estela palpita sobre os dois.

Olímpio vai até o quarto das meninas, para tentar saber algum segredo, e acaba sendo envolvido nos planos da neta.

Os olhos de Maria Paula ganharam imediatamente um brilho travesso, enquanto convencia o avô para que intercedesse junto à sua mãe para deixá-la ir ao luau, na praia do Aventureiro.

— Por favor vô! Peça para a minha mãe deixar eu e Bárbara irmos ao luau.

— Vou falar, mas acho difícil ela deixar vocês saírem à noite sozinhas. E está certo, mesmo aqui sendo um lugar tranquilo, não é bom pra ninguém andar desacompanhado de noite.

— Senhor Olímpio, se fizer o pedido com carinho, ela vai ceder. Tente novamente, por favor, o senhor é irresistível quando quer – apelou Bárbara.

— Por que vocês mesmas não pedem? – perguntou.

— Por que se o senhor pedir aumenta a nossa chance de conseguirmos, principalmente depois do meu atraso de hoje. Por favor, vozinho... Só dessa vez. – Maria Paula fala baixinho, cheia de dengo.

— Posso saber o porquê da importância desse luau?

— Conheci um garoto lindo na praia, vô. Ele me convidou e eu quero muito ir. Por favor, eu preciso da sua ajuda – insistiu ela.

— Tudo bem, vou tentar, mas não prometo nada, viu? – E saiu da presença das meninas.

Enquanto Olímpio ia à busca de Estela, Maria Paula, aflita, torcia as mãos nervosas, combatendo a sensação de euforia e ansiedade diante da ideia de rever João Carlos.

Assim que o avô retornou e afirmou que poderiam ir, a menina suspirou aliviada, cheia de expectativas. Sem saber se ria ou se chorava, num impulso, abraça e beija carinhosamente o gentil patriarca da família.

— Mas ela impôs uma condição – disse ele.

— Qual? – pergunta a garota, desanimada.

— Eu terei de ir junto.

— E o senhor vai, não vai?

— Já que insiste eu vou – afirmou sorrindo, surpreso com a aceitação imediata da neta.

— O senhor é o meu anjo da guarda, sabia?

— Por um momento pensei que... Ah, deixa pra lá! – disse para si mesmo, o avô.

— Então, mãos à obra – diz Maria Paula à Bárbara, caminhando rapidamente em direção ao armário. – Amiga, vamos caprichar no visual!

Já passava das vinte horas quando as meninas desceram, arrumadas e perfumadas, vestidas de modo quase idêntico: Maria Paula usava saia florida e camiseta branca, com uma parte da barriga de fora. Completando o conjunto, a menina usava maquiagem bem leve, sandálias rasteiras vermelhas trançadas e um conjunto de bijuterias na mesma cor. Bárbara vestia saia azul, no tom das bijuterias e da rasteirinha. Na sala, Olímpio já as esperava acompanhado por Lucrécia e Matheus.

— Ué! Pensei que só o meu avô iria.

— Eu também vou, não posso deixar o senhor Olímpio sair sozinho a esta hora – afirma Lucrécia.

— Meu Deus dai-me paciência!

— Você só vai porque eu fui bem competente no pedido que fiz em seu favor junto à sua mãe, sua resmungona. E não quero que fique reclamando a noite toda no meu ouvido, viu?

— E o pirralho? – aponta para Matheus. – Vai fazer o quê, lá?

— Vai fazer companhia para esse velho – responde Olímpio com cara de inocente.

— Pare de discutir por bobagens, Maria Paula, vamos logo. Estamos perdendo tempo – retrucou Bárbara.

14

O luau

A galera da praia passou toda a tarde decorando o ambiente para a grande noite. Espalharam tendas e tochas feitas de bambu, arrumaram troncos de árvores para servirem de banco ao redor da fogueira, montaram a mesa para os drinques tropicais e para os aperitivos, arrumados como em cena de filme. Cuidaram da decoração em estilo havaiano e arrumaram um *cooler* no tamanho ideal para manter todas as bebidas geladas. Quando Maria Paula chegou à festa, o som do violão já ocupava o lugar. As pessoas se acomodaram ao redor da fogueira. Algumas sentadas, aconchegadas no ombro de quem estava ao lado; outras deitadas sobre cangas coloridas, à vontade, ouvindo a melodia da música suave e rítmica bem à moda praiana. A mesa de frios dispensava comentários, pela beleza e pelo bom gosto. No cardápio: *sushi*, ricos e saborosos patês com torradas coloridas, *ciabata*, sanduíches naturais e frutas variadas, imprimindo um colorido todo especial à ornamentação.

JC caminhou na direção de Maria Paula, assim que a avistou. Sem notar os que estavam ao seu redor, fez uma análise minuciosa, esboçando um sorriso de aprovação.

Maria Paula se sentiu um pouco desconfortável, mas ficou feliz com a expressão satisfeita que viu no rosto do rapaz.

— Você está linda! – afirmou o jovem.

— Você também está muito bonito – disse a menina, observando os detalhes da camisa de tecido amarelo e a bermuda branca que ele usava, realçando seu bronzeado. No pescoço, o tradicional colar colorido estilo havaiano completava o *look* bem despojado do jovem surfista.

— Este é meu avô, Olímpio. Esta é Lucrécia, nossa governanta. Este é meu irmão Matheus e esta é Bárbara, a minha amiga que você já conhece. Só faltou a mamãe e a minha cachorrinha – brincou um pouco constrangida.

— Que bom que vieram todos! Sejam bem-vindos e aproveitem nosso luau – diz JC, apertando as mãos que Olímpio e Matheus lhe estendiam para, em seguida, cumprimentar Lucrécia, Bárbara e Maria Paula, com um beijo cordial na face de cada uma. Aproveitou para falar baixinho, perto do ouvido da garota:

— Você está atrasada. Fiquei com medo que não viesse.

— Quase não pude vir. Na verdade, a vontade de minha mãe era me deixar de castigo pelo resto da minha existência, pelo pequeno atraso de hoje. Mas o meu anjo da guarda fez o pedido, e quem da família resiste ao charme dele? – disse, apontando para o avô. – Agora entendeu o motivo da minha escolta?

— Se ficasse de castigo pelo resto da vida, eu seria obrigado a pular a sua janela também pelo resto da vida. Como eu iria deixar de ser observado novamente pelos olhos mais lindos que já vi nesta praia? – perguntou João Carlos.

— Estava brincando sobre o castigo, seu bobo. A minha mãe é cuidadosa; não, carrasca. O problema é que eu não tenho consentimento para sair desacompanhada à noite. Quando voltei pra casa hoje estavam todos preocupados, mas quem é a verdadeira expressão do exagero é a Lucrécia.

Bem, simplificando, tive de trazer quase toda a família... E cá estou eu, pagando o maior mico... E pela cara da minha mãe quando cheguei, é bem possível que tenha desconfiado de que eu passei a tarde com um garoto, nesse caso, você – deixou escapar, ficando logo ruborizada.

— Ah! Se quiser, converso com a sua mãe e explico que você não corre nenhum perigo enquanto estiver comigo.

— Não inventa, não vai dizer nada – disse ela, ficando ainda mais vermelha.

— Vamos esquecer isso e curtir. O importante é que está aqui agora.

O grupo se aproximou da fogueira trepidante e se misturou às pessoas que já estavam por toda a parte do espaço reservado. A banda formada por um grupo de meninos da região animou a festa e foram seguidos por um coro superanimado. Apresentaram lindas canções no violão, na gaita e no órgão eletrônico. Aquela rapaziada tocava em todas as rádios da região e, mesmo iniciantes na carreira artística, já faziam o maior sucesso nas redondezas. O som deu uma parada e Eduardo cumprimentou a todos.

— Boa noite, galera!

— Boa noite! – todos responderam ao mesmo tempo, como se tivessem ensaiado.

— Hoje é uma noite especial. É o início da inauguração do nosso Festival de *Surf* de Verão. É nesta noite que nós, surfistas de toda a Ilha Grande, unimo-nos para homenagear e fazer uma reverência às ondas desse nosso marzão. O mar exerce um poder arrasador sobre todos desde os tempos mais antigos. Ele, às vezes, é assustador; outras encantador. Essa é uma noite para despertar grandes paixões...

— Uh... uh! – gritou a galera.

— Como eu ia dizendo, é a noite das paixões. Há anos, grandes amores começam no luau do Festival. E desta vez não será diferente. Por toda essa beleza, chega de falar e vamos ouvir um som!

A música recomeça agora mais lenta; vem um clima gostoso, de intimidade. Os olhares buscam-se furtivamente. Alguns casais começam a dançar. As moças desacompanhadas iniciam as suas danças solitárias. Seus corpos dourados se movimentam-se suavemente, como o balanço das ondas do mar, desvendando, vez por outra, uma tatuagem em um ombro ou tornozelo.

Um sentimento de liberdade paira no ar...

Eduardo aproveita a oportunidade e discretamente coloca o braço ao redor dos ombros de Isabela, que finge não perceber as intenções do professor de *surf*.

— Espero que estejam gostando... – comentou um dos integrantes do grupo, de volta ao violão, dedilhando mais uma canção e mantendo o clima.

— Adoro esta música – insinuou Maria Paula.

— Então a dedico a você! – falou JC, com um olhar cheio de ternura. – Quer dançar comigo?

— Adoraria, mas estou me sentindo um peixe colorido ornamentando um aquário. Percebeu como meu avô e a Lucrécia não tiram os olhos de nós? Bem que esse clima romântico podia contagiar os dois...

— Tudo bem, relaxa. Já fico feliz em apenas sentir a energia deste momento. – Lucrécia, que observa tudo a uma pequena distância, comenta com Olímpio:

— Olha bem aqueles dois – disse apontando João Carlos e Maria Paula. – Sinto clima de romance no ar. É tão bom ser jovem. Já vi esse brilho em muitos olhares nesta ilha, mas todo amor no começo é cheio de flores. Pena que, logo em seguida, apareçam os espinhos.

— Maria, mãe de Jesus! Como você é amarga, Lucrécia!

— Por acaso estou mentindo?

— Acho que você nunca viveu um amor de verdade. É isso que eu acho – comentou Olímpio.

Lucrécia sabe que ele está pensando na sua falecida esposa e se cala, respeitando o seu momento de saudade. Realmente, ela nunca encontrara um grande amor, por isso dedicou sua vida a servir aos outros, com carinho. Não deixava de ser uma forma de amar. No fundo, sabia que o sentimento que nutria há alguns anos por Olímpio ia muito além de carinho e zelo. Mas fazer o quê? Se ele vivia do passado e não a via com o mesmo olhar que o seu?

O vocalista da banda fez uma nova pausa, falou algumas palavras de carinho para o seu público, retomando o repertório e animando os convidados.

— Esta é para dançar coladinho, galera. Vamos lá! Escolham os seus pares e vamos nos divertir!

João Carlos olha para Maria Paula, num convite silencioso. Decidem ignorar tudo e todos que estavam em volta e viver aquele instante como se ali não houvesse mais ninguém. Seguem para a pista de dança improvisada na areia. Matheus, sentindo-se um homem crescido, convida Bárbara para dançar que, com um leve sorriso, não o desaponta. Olímpio olha para Lucrécia, pega-a pelo braço e diz:

— Só sobrou você mesmo, então venha dançar com este velho.

A lua, mais branca que nunca, parece conspirar a favor dos apaixonados, iluminando toda a praia com um lânguido e viçoso brilho prateado.

Maria Paula e João Carlos estão leves e entregues a si mesmos. Sentem-se longe dali. Não conseguem mais ouvir direito a música, que parece bem distante; apenas conseguem escutar o som suave da respiração um do outro, até entrarem no mesmo ritmo acelerado. De repente, João Carlos para. Olha profundamente nos olhos de Maria Paula e, quase sem conseguir falar, sussurra um convite em seu ouvido:

— Quer caminhar um pouco comigo?

— Quero. É o que mais quero no momento.

Todos estavam embalados pela música, vivendo suas emoções particulares. Ninguém percebe o afastamento dos dois.

O casal se distancia, indo em direção à areia molhada, onde as ondas arrebentam suavemente. Maria Paula comenta com um suspiro:

— Eu pensei que estas férias seriam diferentes, mas tive certeza absoluta assim que o conheci.

— E por que suas férias seriam diferentes?

— Porque como comentei hoje mais cedo na praia, há muito tempo não vinha a Angra, mais precisamente ao balneário de Provetá. Primeiro, porque depois que a minha avó morreu, o meu pai não quis mais ficar por aqui. Eu, de certa forma, absorvi um pouco o seu sentimento de nostalgia e não me interessei muito em voltar. Segundo, também, porque a minha mãe vivia dizendo que esse era um lugar com poucos recursos e cheio de mosquitos.

— Que maldade! Aqui não tem tantos mosquitos assim. Mas fico curioso: como pode pensar isso de um lugar tão lindo?

— O lugar é mesmo lindo e a minha avó era apaixonada por isso aqui. Depois de passar muitas férias nas pousadas da região, visitando toda a extensão da Ilha Grande, ela adoeceu. Mesmo doente, quis comprar uma casa aqui para passar o resto de seus dias. Meu avô a atendeu, comprando o casarão onde mora. Se afastou dos negócios para cuidar dela e não voltou mais para São Paulo, desde então. O meu pai assumiu os negócios e acho que não suporta relembrar a dor que sentiu ao ver a mãe morrendo lentamente, aniquilada por uma doença grave. Assim, ele vem aqui muito rara e rapidamente.

— Eu não consigo imaginar férias sem *surf*, sem futevôlei e futebol... – afirmou João Carlos, com um sorriso nos lábios.

— Eu não imaginava minhas férias sem viagem ao exterior – brincou Maria Paula. – Sempre fui acostumada a viajar para fora do país. Ver os *shows* da temporada, comprar os últimos lançamentos da moda, ir aos mais famosos restaurantes, esquiar... Tudo o que se espera de uma menina com grana. Agora, tudo me parece tão sem sentido...

— É interessante como as coisas acontecem na vida da gente. Acho que o destino planeja tudo.

— Você acredita em destino?

— Acredito mais ou menos. Mas não podemos negar que a vida nos prega algumas peças. Coisas que não conseguimos explicar, mas que mudam para sempre nossa existência.

— É verdade! É como se alguém já tivesse escrito a história e se encantasse com a atuação de seus personagens. Sabe, quando a minha mãe avisou que viríamos para a casa de meu avô, fiquei pensativa. Agora estou aqui pensando novamente em como tudo na vida faz sentido.

João Carlos admira os traços delicados da face de Maria Paula. Passa a mão carinhosamente pelo seu rosto e pergunta:

— O que você faz, normalmente, para se distrair?

— Estou meio envergonhada em dizer. Nunca pensei que isso me traria constrangimento, mas acho importante ser eu mesma. Divirto-me correndo ao redor do parque que tem perto de casa, indo ao cinema com amigos, passeando no *shopping* e também indo ao cabeleireiro.

— Muito bem, gosta de esporte. Ir ao cabeleireiro também é legal – brincou JC. – Como é a sua mãe?

— Maravilhosa! Linda, generosa, doce e minha melhor amiga.

— Então você é uma consumista compulsiva? – perguntou ele, sorrindo.

— Não. Só compro algo no *shopping* quando estou estressada – falou, ensaiando uma careta. – Sabia que tem muitas outras coisas no *shopping* além de lojas? Deve parecer superficial e fútil para você, mas... Sabe, a vida na cidade grande segue numa rotina muito diferente disso aqui – disse, apontando para a ilha.

— Eu sei. Se precisasse viver numa cidade grande, acho que morreria de saudade deste lugar. E está enganada sobre o que penso a seu respeito: penso o melhor sobre a senhorita, viu?

— Sabe... As coisas na ilha parecem acontecer em outra dimensão, o agito daqui é diferente. Tem poesia no ar – suspira Maria Paula. – O tempo corre numa velocidade própria e é muito gostoso ficar assim.

— Gostoso é ficar com você, isso sim.

João Carlos encolhe os ombros e deixa escapar um sorriso, enquanto contempla a beleza da jovem. Na verdade, com aquela roupa, Maria Paula estava mais atraente do que pensava. Seu corpo era deslumbrante. Suas pernas longas, bem torneadas; as curvas traçando sua silhueta; a pele levemente bronzeada, os lábios...

— Nem sei o que dizer diante de tanta beleza! – revelou o rapaz, quando foi surpreendido pelo olhar envergonhado de Maria Paula. – Fico imaginando como seria beijá-la. A sua boca parece uma pitanga, sabia? Sou louco por pitangas.

Maria Paula perde o ar meio ingênuo que desenhava o seu rosto rosado pelo calor do momento e com um olhar doce e terno, convida-o a beijá-la silenciosamente.

Lentamente, muito lentamente, ele entende a singela insinuação e a beija. Toca sua boca levemente com doçura. Sente o sabor dos lábios. Logo, as carícias aumentam e o beijo cresce, intensifica-se. Estavam sedentos um pelo outro. Não conseguiam resistir à força daquele momento, que eclodia em paixão. Se Maria Paula tivesse se inclinado para trás e caído em um precipício, não ficaria mais indefesa do que estava naquele instante, colada a ele, amparada por ele, envolvida por ele e totalmente entregue ao momento.

Ouviram a voz de Bárbara ao longe, chamando por seus nomes. Tinham se perdido nos sentimentos, não percebendo por quanto tempo estavam afastados do grupo. Acordaram subitamente daquele beijo tão desejado e, sorridentes, voltaram à festa. Ao avistá-los, Bárbara perguntou esbaforida:

— Você é louca? Seu avô já me perguntou várias vezes por você e eu estou o tempo todo contornando a situação, inventando a cada momento uma desculpa pior que a outra. Além do mais, não é justo você sair para dar uma volta e deixar o pirralho do Matheus na minha cola.

Maria Paula ri da aflição da amiga. Nada vai tirá-la daquele estado de graça. Promete, então, que vai ajudá-la a se aproximar de Ygor, amigo de JC, e livrá-la do seu irmão caçula pelo resto da noite.

Juntaram-se aos outros convidados e saborearam uma truta fresca, preparada com frutas da estação. Depois, "mergulharam" em uma *fondue* de chocolate, deliciosa, invenção de Isabela, que dizia que "festa que se preze não podem faltar guloseimas de chocolate, a comida preferida dos deuses". Beijando com suavidade os dedos levemente lambuzados de chocolate de Maria Paula, João Carlos aponta para a pista de dança:

— Aquele não é o seu avô, dançando com Lucrécia?

— É sim – interrompe Bárbara. – E vocês não sabem o custo que foi fazê-los ficar dançando sem parar, durante todo o tempo em que os pombinhos ficaram passeando por aí. Você me deve essa, MP – diz Bárbara ironicamente, chamando Maria Paula pelas iniciais, como faziam com João Carlos, ou melhor, JC.

— Tá bom, amiga. Você é demais. A melhor!

— Vamos nos juntar a eles? – sugere JC apontando para o casal na pista.

— Vamos! – aceita Maria Paula.

O casal dança no ritmo da música, que muda assim que eles chegam à pista. Sentem-se leves e fazem o maior agito, animando a galera. Lucrécia olha para Olímpio e diz:

— Agora chega. Não temos mais idade para ficarmos aqui dançando essa música enlouquecida como se fôssemos adolescentes. Isso já é um pouco demais! Preciso respirar, senão terá que me carregar nas costas para casa. Estou bastante cansada.

— Só se for você, porque eu estou completamente em forma – afirmou Olímpio.

Ela olha para ele de cara fechada e retruca:

— Só se for em forma de barril.

— De barril, sim, senhora. Barril de vinho velho e curtido. O melhor de uma boa safra.

— Você não toma jeito, transforma tudo em piada. Desisto, vamos descansar um pouco e voltar a nos divertir depois. Foi para isso que viemos.

Entre uma prosa e outra, o luau do *Aventureiro* adentrou a madrugada com a pista de dança apinhada de casais. Ygor não perdeu a oportunidade e convidou Bárbara para dançar, para a alegria de Maria Paula e infelicidade de Matheus, que não escondeu uma careta enciumada.

A festa corria muito bem e todos se divertiam.

Depois de muita agitação, a música voltou a um ritmo lentinho, João Carlos e Maria Paula embalaram-se em mais essa canção. Esqueceram os olhares curiosos e magicamente tudo foi desaparecendo: as mãos acariciavam lentamente as costas, as bocas novamente se uniram sedentas, os perfumes se misturaram e o casal flutuava livremente, como se aquela dança pudesse conduzi-los ao mais distante reino imaginário. Aconchegada no peito quente do seu lindo par, Maria Paula só pensava no calor do seu toque, do seu beijo. A emoção que experimentava neste instante punha abaixo os seus dias de inocência e despertava no seu íntimo os desejos que só uma mulher poderia ter.

João Carlos conseguia fazer o coração de qualquer mulher bater mais depressa. As meninas de Provetá e de outras praias da região sempre se insinuavam para ele e a chegada de Maria Paula não foi exatamente bem aceita por elas. Afinal, estavam à espreita do rapaz havia muito tempo.

Quem aquela estranha pensava que era para chegar ali e ir se apossando do rapaz mais concorrido da ilha?

Maria Paula, totalmente alheia aos olhares nada amistosos das outras garotas, só conseguia pensar em como o achara deslumbrante logo que o vira. Nesse momento, descobriu que estava completamente envolvida por aquele surfista sensual e de cabelos dourados. Eis que um músico interrompe seus pensamentos, oferecendo uma canção para o jovem casal.

— E a próxima canção vai para o meu amigo JC e sua linda acompanhante.

Os dois se entreolham com carinho e sorriram. Começam os acordes do violão, indo num crescente. Na banda, estavam todos no mesmo clima; começaram a dedilhar românticas canções, levando a galera ao verdadeiro êxtase e liberando a vontade delirante de curtir cada minuto, como se fosse o último.

15

O Festival de Surf

As primeiras ondas do Festival de *Surf* estavam perfeitas. Surfistas de toda a região estavam lá para mostrar que eram os melhores e a praia, lotada de gente curiosa para ver o talento daquela rapaziada. Meninas desfilavam em seus biquínis multicoloridos. Namoradas ajudavam a carregar parafinas e mochilas, buscando um lugar ideal para a torcida. O clima era de descontração e alegria. Todos aguardavam as *performances* e os resultados para, depois, comerem as frutas frescas arranjadas sobre a mesa do quiosque da Jurema. Troca de pequenas alfinetadas também acontecia entre as torcidas, mas o astral era bom. Afinal, eram todos amigos e aquilo era apenas um divertimento. Maria Paula e Bárbara chegaram com o campeonato começado. Não podia ser de outro modo, já que Maria Paula trocara de biquíni cinco vezes e não conseguia decidir com quais óculos iria à praia. Um verdadeiro estresse!

João Carlos já se encontrava no mar e procurava sua musa com o olhar. Estava um pouco aflito, como se fosse um iniciante. Ao vê-la, porém, sentiu-se seguro. Pegou uma onda genial, fez um tubo e brilhou.

Os competidores, todos experientes, numa sintonia harmônica quase perfeita com a natureza, proporcionavam um espetáculo a mais, equilibrando-se sobre as suas pranchas e exibindo os seus corpos extremamente bronzeados pelo sol. Com uma final eletrizante, JC foi o primeiro colocado.

Os amigos de JC saíram da água esbanjando charme e reclamando.

— Não tem nem graça competir nesse festival se JC for participar.

João Carlos escuta os murmúrios e rebate, com bom humor:

— Vocês não se dedicaram o suficiente.

Para não ficar de fora, Eduardo chegou, esbanjando o seu magnetismo.

— Se eu tivesse participado, teria desbancado JC. Vocês são verdadeiros fracotes – disse apontando para os amigos.

— Por que você não participou?

— Ué, porque estou com problemas no tornozelo – fingindo um desconforto no pé.

Alheia à conversa animada dos amigos, Maria Paula tenta se aproximar, mas uma verdadeira avalancha de fãs a faz se afastar. Furiosa, olha para Bárbara:

— Quem elas pensam que são? Eu não consigo me aproximar. Ai, que ódio! – reclamava, como uma menina mimada.

João Carlos pôde observar sua fisionomia e, achando graça, desenhou um enorme coração no ar com as duas mãos, soprando-o na direção da garota. Desvencilhou-se rapidamente da multidão e caminhou até ela, fazendo-a ter certeza de que era com ela que ele queria ficar.

Maria Paula o abraçou e o beijou com carinho, feliz por vê-lo vitorioso, mas logo um ar de preocupação se apossou de seu rosto. JC esboçava um semblante de dor, que visivelmente tentava disfarçar.

Uma semana se passou depois do primeiro encontro entre Maria Paula e JC. Ela estava cada dia mais encantada por ele. João Carlos era diferente dos outros, quase sempre imaturos. Olhava-o com admiração e com um sentimento que jamais experimentara. Nos últimos dias, vivera muitas aventuras, bem diferentes daquilo a que estava acostumada. Sentia-se feliz como nunca estivera em toda a sua vida. Aquele lugar era mágico e JC uma ótima companhia. Suas fantasias vertiam...

Os dois viajavam para além do imaginário, completamente enamorados. O riso fluía fácil.

Maria Paula acordava todos os dias bem cedinho, preparava um delicioso lanche, um cantil com água e ia ao encontro de JC. Saíam pedalando sem destino, com o vento em seus rostos, aguçando a sensação de liberdade juvenil; paravam de vez em quando para contemplar a exuberância da paisagem.

Visitavam os monumentos que contavam a história local e Maria Paula escutava fascinada cada palavra de JC sobre o assunto. Quem melhor do que um guia turístico para dissertar tão bem sobre as belezas e as crendices daquele lugar? Era maravilhoso caminhar pelas trilhas da floresta perto da praia, palmilhando bromélias e samambaias, contornando as pedras onde os pequenos arbustos escondiam as mais belas cascatas, formando pequenos riachos. Riquezas essas que não podiam ser notadas à primeira vista.

Contar e colocar nomes nas estrelas, passar horas desenhando corações na areia com os dedos e colher as centenas de conchas que encontravam espalhados pela superfície da pequena extensão de Provetá... Tudo era novo e emocionante.

Bárbara conseguira se enturmar com a galera do *surf* e parecia que já os conhecia há muito tempo. Desde a noite do luau, Ygor dispensava a ela uma especial atenção e, com isso, Maria Paula ficava mais tranquila, não se sentindo tão culpada em deixar a amiga um pouco de lado, pois estava apaixonada pela primeira vez e não podia se furtar de apreciar aqueles momentos. Era jovem e precisava viver tudo intensamente.

O dia chegou ao fim sem ser percebido. Era hora de contemplar o pôr do sol, sentados lado a lado na areia morna da praia, e planejar o dia seguinte. O sol escondia-se lentamente, sob um silêncio quase monástico. O casal se despediu, combinando assistirem juntos à chegada do próximo amanhecer que, com certeza, prometia ser mais um dia inesquecível.

Depois do jantar, Maria Paula dá um boa-noite a Bárbara, aconchega-se entre as cobertas macias e apaga a luz do abajur. Com os olhos fechados, escuta um barulho sob sua janela.

Em princípio, pensa ser o canto de um pássaro, mas logo percebe o som agudo de um assovio. Dá um salto da cama e, pela fresta da cortina, vê JC com um sorriso travesso e convidativo.

Ela se troca às pressas, enche a cama com travesseiros com a ajuda da amiga e sai sorrateiramente ao encontro do rapaz.

— O que está fazendo aqui? Esta visita clandestina podia ter acordado a minha mãe.

— Hum! É verdade. Nem me liguei nisso. Só pensava em convidar uma linda garota para passear à luz do luar. Será que ela aceitaria?

— Fala sério?

Vendo que o garoto falava mesmo sério e viera até ali cheio de boas intenções – falou: "Anda, vamos sair logo daqui, antes que todos acordem. Aí, sim, estaremos encrencados e o nosso passeio de amanhã vai por água abaixo, mocinho. Ah! Adorei a *linda garota*".

Chegando à praia, JC pegou seu celular e, em um ritual quase ensaiado, colocou a música que tocava quando se beijaram pela primeira vez no luau. Sob o olhar surpreso e encantado de Maria Paula, convidou-a para dançar.

— Você é completamente doido e... Maravilhoso!

— Você não imagina o que um rapaz apaixonado é capaz de fazer. – Sussurrou em seu ouvido e, mansamente, continuou:

— Eu quero um beijo seu.

— Assim não vale. Você está em vantagem. Pensou em tudo, combinou até com a lua só para me induzir a fazer o que você quer, diz, apontando para o céu.

Com aquela expressão indecifrável que parecia vigiar os horizontes desde todos os tempos, disse com o olhar cheio de ternura:

— Mentirosa. Não sou apenas eu que a desejo. Sinto que você também me quer. Estou enganado?

Ela docemente afirma com a cabeça e sente seu corpo estremecer ao sentir a boca molhada e a maciez dos lábios do jovem. O seu coração bate tão forte que ela teme que ele escute até os seus pensamentos. "O que está acontecendo comigo, meu Deus? Não acredito em amor à primeira vista" – pensa Maria Paula. "O que significa esse friozinho na barriga e as minhas mãos suando frio desse jeito? Será que Lucrécia me fez beber água da Bica do Carioca e fui flechada com o poderoso veneno do cupido?".

Maria Paula tentava descobrir a verdade dos seus sentimentos e sabia que vivia um sonho desde a primeira troca de olhares na praia, naquele fatídico dia. Na realidade, só tinha em mente uma coisa: as emoções que sentia que, por mais que tentasse, não podiam ser controladas.

A menina tinha consciência de que, à medida que os encontros aconteciam, crescia a familiaridade entre eles. Era como se o conhecesse de longa data, aumentando as possibilidades de que aquela emoção se tornasse cada vez mais forte.

Aquilo ia contra tudo em que acreditava. Amor à primeira vista, nunca. Talvez até pudesse acontecer uma atração logo da primeira vez que visse alguém, mas como podemos amar uma pessoa sem nunca tê-la visto antes na vida? Estava bastante confusa, mas resolveu não pensar mais naquilo. Como dizia o seu sábio avô, "entre o céu e a terra existem fenômenos que o homem, por mais que tente, nunca será capaz de explicar". Melhor viver a emoção e esquecer a razão. Não valia a pena tentar identificar o que sentia. Poderia deixar isso para depois...

16

O paraíso de Lopes Mendes

O dia começou com um despertar às cinco e meia da manhã. Encontraram-se na praia e partiram de barco em direção à enseada de Lopes Mendes. As ondas mansas embalavam as embarcações dos pescadores que, àquela hora, já voltavam da lida. Navegantes quase noturnos, Maria Paula os admirava. Para ela, acordar cedo era um grande ato de bravura. Logo, seus pensamentos se perderam quando, paralisada pela emoção, ficou admirando os cabelos loiros de JC, brilhando como ouro envelhecido sob os primeiros raios de sol. Debruçado na popa do barco, mais parecia um deus mitológico que tomara a sua forma humana para alimentar os golfinhos e peixes coloridos, amigos naturais desde a criação do mundo. Naquele momento, Maria Paula teve a certeza de que ele fazia parte daquele cenário digno de contos de fadas, daqueles das terras bem distantes, das histórias que ouvia da mãe quando criança. Desceram na areia fina e respiraram fundo, embriagados pela beleza singular daquele lugar. Sobre uma mesa improvisada por uma canga, arrumaram o café da manhã. O olhar ao longe leva a menina a uma conclusão: aquela era a praia mais linda do planeta, e ela estava ali, livre, a sós com João Carlos. Os dois se entreolharam com cumplicidade. Ambos ansiavam por mais beijos e afagos carinhosos.

— Este lugar é muito mais do que eu poderia imaginar. Dispensa comentários – sussurrou Maria Paula, interrompida pelos lábios dele que tocavam os seus, obrigando-a a se render ao momento.

Ele a abraça. Ela se desprende de todos os seus medos e receios. Sente o pulsar das veias nos seus braços... Naquele momento tudo lhe era permitido. Não podia pensar em mais nada que não fosse o calor daquele corpo, tão próximo ao seu, mas não podia se entregar pela primeira vez dessa forma. Não tinha a maturidade necessária para fazer essa transição de menina para mulher. João Carlos a fazia se sentir querida, desejada e muito especial, porém, ela não se sentia preparada para as consequências e riscos que envolvem as relações sexuais. Sua cabeça pendeu para ele, submissa aos seus beijos quentes. JC delicadamente acariciou seu rosto, sentindo a maciez da pele sedosa e o cheiro daquela bela jovem. Maria Paula pensava que era tão bom ficar assim, relaxada nos braços daquele jovem, mas era preciso ter responsabilidade sobre seu corpo. Não era falsa moralista, mas não tinha certeza de que aquele era o seu momento certo.

Os lábios de JC continuavam percorrendo o desenho da sua face, do seu pescoço, cheio de desejos, sem forçar nada. Admirava-a nos mínimos detalhes e em alguns momentos abria os olhos para apreciar a sua beleza. Maria Paula idealizava conceber o amor como algo essencialmente puro, em que o sexo fosse complemento, e não pano de fundo essencial para estar junto a alguém. Ela não era obcecada por sexo, nem se via como uma cópia imperfeita das ideias alheias. Era bem informada, não fantasiava nem idealizava, vivia segundo os ensinamentos da sua família e fazia o que mandava o seu coração.

Bem devagar, ele a beijou com mais sofreguidão e fitou-a por um momento, esperando um sinal. Maria Paula fechou os olhos suavemente, esboçando um sorriso carinhoso, e pediu com delicadeza que esperassem um pouco mais. Imediatamente o jovem entendeu o recado e continuaram apenas se curtindo, embalados pelo canto do vento e o chicotear das ondas nas pedras.

17

A cabana secreta

No dia seguinte, partiram em mais uma aventura. Cada novo dia que passavam juntos sentiam-se mais cúmplices, mais envolvidos, unidos numa grande experiência de pura magia. Parecia que há muito se conheciam, e confidenciavam seus desejos por olhares furtivos e apaixonados. Desta vez, seguiram para a Vila do Abraão. Tomaram suas mochilas com alimentos, água e repelente, seguindo pela trilha que conduzia ao refúgio secreto do rapaz. JC ia identificando as diversas espécies de pássaros e plantas que encontravam pelo caminho e ensinava a Maria Paula sobre os poderes medicinais de cada uma das plantas que conhecia.

Ele a levou em direção a uma clareira no meio da mata, de onde se avistava uma cabana feita de barro e madeira, com o seu telhado alto feito de palhas trançadas. A construção rústica era imponente como um daqueles templos perdidos, cercados por outras ruínas, pilhas de escombros, armadilhas e inúmeros perigos.

A luz do sol se infiltrava no caminho, iluminando as samambaias e folhagens da trilha. Seus passos, abafados pelos musgos e folhas que cobriam o solo, seguiam na busca de se perder em um mundo além daquela floresta. À direita, as árvores passavam brilhantes, repletas de novas folhagens. À esquerda, as montanhas e rochas ladeavam o mar imponente, nos quase três quilômetros de extensão daquele paraíso. Do umbral da janela da cabana podia-se ver o horizonte, a grandeza do mar e lá, ao longe, os rochedos, colossais, imponentes, insondáveis.

— E então? – pergunta JC, assim que chegaram à cabana.

— Meu Deus! Que lugar divino! – impressionou-se ela, levando as mãos à altura dos olhos para apreciar melhor a paisagem.

— Realmente, este lugar é demais – diz JC. – Tomando nas mãos uma flor silvestre, enfeitou carinhosamente o cabelo de Maria Paula.

— Quem fez esta cabana? – apontou ela, cheia de curiosidade.

— Não sei, acho que antigos caçadores, mas foi esquecida há muito tempo. Encontrei-a por acaso, quando liderava um grupo de turistas, numa excursão ao topo da montanha. Hoje é o meu refúgio secreto. Bem, de hoje em diante, será nosso – afirmou ele, com um leve sorriso. – Que Eduardo não escute isso! Ele é louco para vir até aqui.

— Fique tranquilo, não vou espalhar o seu segredo.

Quando entraram no ambiente pitoresco da cabana deserta, sentiram aquele cheiro adocicado de canela que exalava da madeira envelhecida, uma fragrância deliciosa, que envolvia todo o ambiente. Se fechassem os olhos, poderiam ser teletransportados para um daqueles lugares perdidos retratados nas fábulas encantadas, e o casal era imediatamente conduzido aos confins dos seus próprios sentidos.

Maria Paula estende uma manta na poltrona antiga colocada estrategicamente em um canto da pequena saleta, perto da janela, num convite silencioso para se sentarem. Ficam entrelaçados, aconchegados um ao outro por um longo tempo apreciando a vista perfeita daquele lugar. JC a encheu de pequenos beijos suaves e ela se rendeu ao prazer de suas carícias, tendo o sol como companheiro que transpassava as árvores com sua luz forte e adentrava a claraboia. A moça nunca acreditara em mitologia, lendas, contos de fada, mas o que sentia era o mesmo contado naquelas histórias utópicas e bobas que ouvia na infância. JC despertava nela desejos que ela desconhecia até então. Tudo era real, muito mais real do que qualquer coisa que ela jamais experimentara. Ficaram horas deitados naquela poltrona ouvindo o canto dos pássaros e sentindo o frescor da brisa da floresta. Depois, sentaram-se no peitoril da janela e ficaram observando o encontro das águas marítimas com o sol, formando uma magnífica aquarela, onde todos os tons eram permitidos.

Nos dias seguintes, o casal voltaria muitas vezes ao santuário. A cabana era um lugar encerrado no tempo, onde tudo podia se transformar em realidade e a vida corria ao sabor da brisa de um ventinho vadio. Ali, eles sentiam-se livres como os pássaros que voavam de um lado para o outro entre as copas das árvores.

O mundo dos dois, que parecia ser tão diferente um do outro, na cabana inexistia. O cheiro adocicado da pitoresca construção inebriava os seus sentidos e a paz que sentiam era tanta, que algumas vezes podiam ouvir as batidas dos próprios corações no silêncio sincronizado com os barulhos naturais daquele denso bosque.

A relação entre as espécies na ilha era perfeita, mas ali eles podiam contemplar as plantas e os animais vivendo em total dependência uns dos outros. As relações entre espécies e seu ambiente resultavam num fluxo de energia muito poderoso.

Caiu o entardecer, e João Carlos tira do bolso um pedaço de papel e declamou os versos que havia feito no dia anterior:

Do céu desce o entardecer,
e no cume do monte o sol se põe.
Ele parte deixando um caminho de luz
seguido imediatamente
pela sua querida amiga, a lua.
A noite cobre a terra enquanto ele descansa.
Acorda muito cedo e recomeça
o seu show de cada dia.
Quisera eu entender
a perfeição desse cortejo,
desse amor platônico,
porém, acho, que esse entendimento,
a nenhum ser humano foi dado.
Penso que o murmúrio do sol,
mesmo que incompreensível,
sussurra toda manhã
uma frase muito especial.

Em um momento de sublime inspiração, completou: *"Maria Paula, você é a minha grande estrela dourada... aquela que guia meus pensamentos quando o meu sol se põe."*.

A moça o abraça, emocionada e, de mãos dadas, eles deixam o refúgio secreto.

18

O desespero

O relógio marca quatro e vinte da manhã e JC desperta de um sono turbulento, sentindo um forte mal-estar. Todo molhado de suor, geme baixinho. Levanta-se e caminha em direção ao banheiro, tomando cuidado para não acordar o irmão, que dorme na cama ao lado. Tropeça no tapete e quase vai ao chão, mas é amparado por Isabela, que acordara com os gemidos do rapaz.

— O que foi? – perguntou assustada.

— Estou com muita dor no estômago.

— O que comeu hoje? – diz ela, começando a interrogar o irmão enquanto corre para buscar a ajuda da mãe.

— Não comi nada demais – afirmou ele, mas vomita logo em seguida.

Marisa entra aflita no banheiro para ajudar o filho e faz os mesmos questionamentos que antes fizera Isabela. JC dá a mesma explicação e se contorce com uma expressão de dor. Vomita novamente, assustando a mãe que, rapidamente, pede a Isabela para acordar o avô, Salvador.

— Acorda rápido o seu avô! Rápido!

A menina obedece e volta acompanhada pelo velho e por Ricardinho, que acordou com a grande movimentação da casa.

— Isabela, o que aconteceu com JC? – balbuciou o garoto.

— Ele tomou sol demais hoje e está tendo vômitos. Volte para o seu quarto e durma mais um pouco, meu amor. Ainda é noite – disse carinhosamente para o irmãozinho.

— Não quero dormir – afirmou Ricardinho choramingando.

— Estou com as pernas cansadas – avisou JC. – Estou me sentindo muito fraco. O que será que está acontecendo comigo?

Marisa fica assustada com o estado do filho e avisa o pai que vai levá-lo para o hospital.

— Pai, troque de roupa e vamos procurar ajuda.

— Calma, meu filho – diz ela para JC. – Respire fundo. Tudo vai ficar bem.

Isabela não consegue conter o choro ao ver a palidez do irmão, encolhido no chão, e liga imediatamente para Eduardo. Nunca o vira daquele jeito, muito pelo contrário. JC nunca pegou sequer um resfriado. Enquanto todos na casa ficavam doentes, ele esbanjava saúde e ainda zombava deles com aquele seu jeito brincalhão: "vocês são fraquinhos mesmo, hein!". O desespero do momento fazia com que pensamentos confusos lhe viessem à mente: "será que meu irmão vai morrer? Meu Deus, ele é tão jovem, por favor, não deixe isso acontecer! Ele deve ter pegado muito sol, esse garoto é teimoso, minha mãe sempre falou pra ele não ficar o dia inteiro na praia. Ah, Senhor, cuida dele!".

Marisa ajuda o filho a se levantar e acomoda-o no sofá da sala, enquanto o ajuda a se vestir. Assim que Eduardo chega à casa da família, entra no aposento onde estão, e ajuda João Carlos a ficar de pé. O jovem não suporta o peso e cai nos braços do amigo, que imediatamente o ampara e o levanta, carregando-o até o ancoradouro onde está o barco.

Antes de partirem em direção ao hospital da cidade, o pescador e João Carlos ainda fazem algumas recomendações:

— Isabela, não acorde a sua avó. Ela tomou calmante e precisa descansar. Não conte nada ainda sobre JC, viu? Deixa que mais tarde eu falo com ela.

— Fique tranquilo, vô. Não vou dizer nada.

— Você também, Ricardinho – aponta para o garoto triste, sentado na poltrona, no canto. – Não diga nada.

— Tá bom vô, eu não digo nada.

— Mãe, ligue. Não me deixe aqui aflita sem notícias, por favor – suplica Isabela, com um soluço.

— Isabela, Isabela – diz JC –, eu marquei encontro na praia, no quiosque de sempre, com a Maria Paula. Você pode avisar que eu não vou, por favor? Diga que tive novamente uma dor abdominal e fui ao médico.

— Não se preocupe. Eu a aviso.

Assim que terminam a travessia da ilha até Angra dos Reis, João Carlos quer seguir andando, mas a dor o nocauteia e é novamente amparado pelo amigo Eduardo e pelo seu avô. A angústia dos irmãos que ficaram em Provetá era tanta, que ninguém conseguiu dormir novamente. Abraçado a Isabela, Ricardinho, na sua inocente preocupação infantil, faz uma pergunta cheia de emoção:

— Bela, meu irmão vai morrer?

— Claro que não, JC vai ficar bem. Fique calmo, querido. Nosso irmão é forte e vai ficar bem, você vai ver.

Isabela esconde a própria preocupação para tranquilizar o irmão caçula. Ela também se assustou bastante com o estado de saúde de JC. Neste momento, o que eles podiam fazer para ajudá-lo era confiar em Deus e orar.

Isabela segue para a igreja, que já começa a receber os fiéis para a oração da manhã, e Ricardinho volta para o quarto e faz sua prece silenciosa pelo irmão.

O ar parecia estar parado, pesado, sem brisa naquela manhã. Maria Paula segue em direção ao quiosque, que era o seu ponto de encontro com JC desde que se conheceram. Já passava das dez e meia da manhã, nem sinal do garoto. Ela ligou para o celular dele e quem atendeu foi a secretária eletrônica da caixa postal. Ele não costumava se atrasar. Os sons da praia, que antes pareciam um alarido, agora estavam calmos, congelados, contrastando com a preocupação de Maria Paula. Ela estava com um mau pressentimento. Passava as mãos pelos cabelos, num gesto nervoso, quando avistou Isabela, a irmã do namorado. Quanto mais a moça se aproximava, mais descompassado ficava o seu coração. Alguma coisa havia mesmo acontecido.

— Olá, Maria Paula, tudo bem? Desculpe-me pelo atraso, mas vim trazer um recado do meu irmão.

— Aconteceu alguma coisa com ele?

— Vamos nos sentar ali – disse Isabela, apontando para um banco de madeira na calçada. – Não precisa ficar aflita. João Carlos passou mal durante a madrugada e foi levado para o hospital.

— O que ele tem?

— Ainda não sabemos, mas não há de ser nada sério. Às vezes, ele sente dores fortes no estômago.

— Quando nos conhecemos, ele teve uma dessas crises de dor enquanto nadava. Foi por este motivo que me aproximei dele naquele dia. Lembro-me de que prometeu ir ao médico. Pelo visto, não foi.

— Foi agora. Ele é bem teimoso. Já deve saber.

— Estou começando a perceber.

— Bem, ele pediu para avisá-la. Agora, preciso ir. Mantenho você informada pelo celular sobre qualquer novidade, ok?

Isabela levantou-se com elegância, apesar de usar um vestido de algodão azul, velho e surrado. Colocou as mãos nos ombros de Maria Paula de forma confortadora:

— Tudo vai ficar bem.

— Obrigada por ter vindo. Obrigada, mesmo.

— Foi muito bom rever você.

Ambas se despedem e seguem em direções opostas. Isabela vai encontrar Eduardo e Maria Paula volta para casa.

19

Os primeiros procedimentos médicos

Doutora Cláudia Amorim, médica no hospital da cidade, assegurou nesta primeira consulta que o caso do garoto requeria mais pesquisas antes de dar qualquer parecer. Aplicou-lhe um analgésico para aliviar a dor enquanto esperaria pelos resultados dos primeiros exames realizados ali mesmo. Apesar de ter apenas um hospital de médio porte, Angra dos Reis mantinha em suas instalações um laboratório muito bem equipado para atender às emergências e até diagnosticar doenças mais graves. Depois que recebeu o resultado dos exames sanguíneos, da endoscopia e da tomografia, a médica avisa à mãe que o garoto precisa ser examinado por um especialista. JC acompanha a conversa deitado numa maca, acompanhado pelo avô, enquanto a mãe conversa com a médica. Já se sentia um pouco melhor.

Todos na cidade se conheciam e, por esse motivo, tratavam-se com certa intimidade.

— Dona Marisa, por hoje João Carlos já está medicado – disse a médica –, mas ele precisa ser visto por um especialista imediatamente.

— Especialista doutora? Mas por quê? A senhora não é uma especialista – pergunta em sua simplicidade.

A médica afirmou que a sua especialidade era de clínica geral e não quis comentar suas suspeitas. O melhor seria encaminhá-lo para um gastroenterologista na capital, ali não tinham os recursos necessários para fazer um diagnóstico preciso. "Até porque câncer no estômago naquela idade era muito raro e ela poderia estar enganada" – pensou.

— Não posso afirmar com certeza. Ele precisa de exames mais detalhados. A senhora vai levar este encaminhamento a um gastroenterologista amigo meu que atende na Clínica Santo Amaro, no centro do Rio de Janeiro. Vou ligar e tentar marcar a consulta para amanhã, logo cedo. Não permita que ele faça grandes esforços até termos um diagnóstico sobre o seu caso – aconselha a Doutora Cláudia.

— Gastroenterologista? – pergunta dona Marisa.

— Sim. É um especialista em doenças do aparelho digestório, responde a médica. Certamente vai analisar o caso de João Carlos, diagnosticando corretamente depois de avaliar exames específicos e indicando o tratamento mais adequado.

Marisa sente as pernas ficarem bambas. Era uma mulher simples, mas sempre buscou ser bem informada e também oferecer aos filhos tudo o que podia dar em termos de boa formação. Com isso, acabou por aprender muitas coisas. Sua experiência de vida permitia "ler" os sinais na fisionomia das pessoas e o que viu no rosto da médica deixou-a preocupada. Temia que algo de muito sério estivesse acontecendo com o seu menino. Sim, seu menino, que, protetoramente, desejou naquele instante poder embalar nos braços, como fazia quando o amamentava bem pequenino.

Pela janela, Isabela observa o movimento da cidade ao longe, iluminada, alheia à tristeza que se abatera sobre a sua casa. João Carlos passou o dia no hospital e sua mãe havia ligado muito triste. Isabela estava inquieta com a doença do irmão. Passara parte do tempo escondendo da avó o que acontecera com JC. Mas, chegado o momento das refeições, teve de falar, levando em consideração a ausência de todos naquele instante, já que a família reunia-se pontualmente todos os dias àquela mesma hora.

— Onde estão todos? – perguntou a avó, curiosa.

— Vozinha, preciso lhe contar uma coisa. Não precisa se preocupar, mas o vovô não está na praia. Ele foi com a mamãe levar o JC ao hospital.

Maria do Socorro olha a neta com desconfiança e perguntou:

— O que aconteceu? A dor novamente?

— Sim, vó, as dores de sempre, mas desta vez a crise foi muito forte e a minha mãe quis saber o motivo.

— E fez muito bem. Com a saúde não se brinca. Por que não me chamaram? Por que todo mundo pensa que não posso ajudar em nada?

— Só queríamos poupá-la vozinha. Depois, a senhora tomou medicamentos para dormir e não seria prudente acordá-la.

— Até parece que sou uma velha caindo aos pedaços. Saiba que tenho mais vigor que muitos jovens, viu?

— Desculpe, vó. Sabemos que a senhora é forte, mas apareceu muita gente para ajudar e resolvemos deixá-la descansando, tudo bem? Agora, vamos almoçar?

Em silêncio, Isabela, Maria do Socorro e Ricardinho, mesmo com pouco apetite, sentaram-se à mesa para a refeição. Logo depois de comerem, Maria do Socorro pede a Ricardinho que vá à praia avisar aos amigos de João Carlos sobre o ocorrido.

Já é quase noite quando Marisa, Eduardo e Salvador retornam do hospital, trazendo João Carlos para casa. Depois de tomarem uma sopa quentinha, a família vai descansar, para enfrentar o dia seguinte, que prometia ser exaustivo, já que iriam à capital em busca de respostas para os sintomas de JC. Marisa abre a porta do quarto para espiar o filho. Ele respira lenta e regularmente. A boca relaxada e entreaberta. A luz do abajur forma sombras na parede, iluminando o arsenal de equipamentos para rapel, escaladas, *trekking* e montanhismo do rapaz. Ela nem sabia bem para que serviam tantas coisas. Ficava feliz observando a felicidade do seu garoto ao investir o dinheiro ganho durante o verão nesses objetos esquisitos, necessários para exercer sua profissão atual.

A enfermidade que o assolava no momento certamente não iria afastá-lo da sua vida cotidiana – pensou ela. Mesmo a médica citando um "especialista em estômago", não deveria ser nada grave. Logo ele estaria saudável, conduzindo turistas por trilhas e aventuras. Estava preocupada com a orientação da médica, mas sofrer por antecedência era bobagem. Entendia que a doutora era cuidadosa e, por este motivo, pedira para o rapaz evitar fazer atividades físicas até que se consultasse com o médico que sugeriu. Passando a mão na cabeça do filho, ela suspira a ausência de Francisco, seu marido. Por um momento teve medo, mas acreditava que tudo que o ser humano passa é permissão do Criador de todas as coisas.

— Estou precisando tanto de você, meu amor – Marisa chora baixinho, conversando com o marido em pensamento.

— Ainda acordada, minha filha? – pergunta Salvador, aparecendo na penumbra do quarto.

— Tô aqui pensando que o que temos mesmo é o passado e o presente. O futuro não nos pertence em hipótese alguma.

— Minha filha, você não deveria ficar tão preocupada. Tudo vai ficar bem.

— Oh, pai! Tomara que o senhor tenha razão. Estou com um pressentimento muito ruim. Tenho tanto medo de que o meu filho tenha algo mais grave que apenas uma dor de estômago! A médica indicou um gastro.

— Nem pense nisso! – O velho balança a cabeça em negativa. – Vamos dormir e recarregar as nossas baterias. Amanhã o dia será longo – E despede-se, dando um beijo na cabeça da filha.

Passando pela sala, Salvador cumprimenta Eduardo e observa Isabela, que, agradecida, relaxa a cabeça nos ombros do namorado.

— Obrigada por tudo Eduardo – diz ela.

— Não precisa agradecer. Cumpri apenas com a minha tarefa de amigo.

— Mesmo assim, obrigada – balbucia.

20

Em busca de respostas

No dia seguinte, João Carlos acorda bem disposto. Olha pela janela e fica observando as gotas finas de chuva que caem lá fora. Todo animado levanta rapidamente e vai correndo para a praia, pois adora pegar ondas quando o tempo está chuvoso. Nem se lembra das dores do dia anterior. Quando sua mãe acorda e o procura para tomar o café, não o encontra no quarto. Fica olhando pela janela – o céu está coberto por nuvens pesadas e ela imagina claramente onde encontraria o filho. Muito chateada, vai à praia, à procura do rapaz para convencê-lo a retornar para casa. Precisavam ir à consulta do médico na capital. Como já imaginava, o filho estava firme sobre sua prancha de *surf*, vazando nos grandes e perfeitos tubos formados pelas ondas do mar bravio. Assim que vê a mãe, corre em sua direção com a prancha embaixo do braço, balançando os cabelos encharcados, com um sorriso despreocupado, quase inocente, sem a menor ideia do que lhe reservava o futuro.

— Oi, mãe! O que está fazendo aqui? Já estava indo para casa.

— Vim chamá-lo para tomar o café da manhã. Você se esqueceu de que temos compromisso hoje?

— Não esqueci. Mas, mãe, vamos deixar isso para outro dia? O mar está ótimo e também preciso encontrar minha princesa.

— Você deve estar brincando! Claro que não vamos deixar para outro dia. Vamos agora mesmo. Como não percebi antes que você não estava bem? Isabela e a sua avó já haviam me falado que você estava dormindo mal e agora vamos saber a razão de tudo isso.

— Calma mãe. Foi só uma dorzinha de nada. Vamos logo procurar esse médico especialista. Vai ver que eu tenho saúde de ferro e esquecer essa história toda.

— Hoje é "dorzinha de nada", mas ontem nos pregou o maior susto. Não vou mais cair nessa sua conversa de surfista desmiolado.

Marisa beija o filho carinhosamente e, abraçados, retornam à casa para, em seguida, irem buscar atendimento na clínica indicada pela doutora Cláudia.

Marisa, assim como toda a população regional, confiava na médica de rosto sereno, extremamente delicada e muito atenciosa que, mesmo com o tempo, não havia perdido o encantamento de uma bela mulher. Alta, de postura imponente, mas com um jeito delicado e suave de tratar as pessoas, transmitia-lhes segurança e tranquilidade. Seu carinho pelos pacientes era reconhecido por todos, sempre se antecipando às situações, o que a fez ser respeitada e adorada em toda a extensão da Ilha Grande. Bem-sucedida, com cursos no exterior e uma larga experiência em clínica geral, refugiou-se na pacata cidade de Angra dos Reis, em busca de uma medicina mais humana e menos comercial, a qual vivenciara na cidade grande.

***

Quando chegou à região, Cláudia imediatamente procurou as autoridades locais para pedir que a apoiassem em um projeto que desejava implantar na cidade. Além de trabalhar na unidade hospitalar local, desejava fazer uma medicina de família, oferecendo atendimento, medidas preventivas e educacionais. Sabia da importância em orientar as famílias na prática de pequenas ações e hábitos diários e, assim, colaborar para minimizar a incidência de algumas doenças como, por exemplo, a desidratação. Para tanto, montou um pequeno consultório, mas muito bem aparelhado e, viajando em um barco de pequeno porte, dava assistência a todas as aldeias e moradores da região. A doutora reservou ainda uma sala anexa ao seu consultório, para ministrar palestras de orientações à comunidade local. Seu empenho e amor logo foram reconhecidos e sua causa abraçada por voluntários, que vinham se oferecer para colaborar, sendo importantes elementos multiplicadores de informações e hábitos.

Muitas vezes, achava graça quando alguma criança das ilhas chegava com uma boneca velha e mordida, ou uma mãe trazia um bolo quentinho, recém-feito, para presenteá-la. Sempre dava um jeito de ter um tempinho para conversar e agradecer o carinho de todos. Em pouco tempo, tornou-se uma das mais queridas e respeitadas moradoras do local.

***

A preocupação com o caso do jovem João Carlos ficou visível em seu semblante. Buscou agir rápido, como alertaram seus instintos de médica e mulher, e telefonou prontamente para a clínica Santo Amaro em busca do amigo para conversar sobre o caso e ter uma segunda opinião. Mas já sabia antecipadamente que a sua suspeita procedia e o destino do jovem surfista seria procurar tratamento em um hospital especializado em carcinomas.

O seu amigo não era especialista neste tipo de câncer, mas, mesmo assim, aconselhou Marisa a procurá-lo, para que ele pudesse acompanhar o caso do rapaz. Através dele, poderia ter o retorno da evolução do tratamento de JC. Se fossem concretizadas as suspeitas no seu pré-diagnóstico, o tempo poderia ser o grande aliado do garoto.

Na capital do Rio de Janeiro, foram diretamente falar com o médico amigo da doutora Cláudia. Apresentaram o encaminhamento que haviam trazido do hospital à recepcionista de plantão.

— Com licença, moça. Boa tarde!

— Boa tarde senhor! Em que posso ajudá-lo?

— O meu neto foi encaminhado para esta clínica pela doutora Cláudia Amorim, de Angra – diz Salvador, entregando os documentos que trouxera. Ficou esperando enquanto a simpática atendente preenchia uma ficha cadastral e os encaminhava para o médico indicado. Depois de analisar as informações contidas no laudo feito pela amiga, doutor Bruno inicia o atendimento. JC, sentado junto à mãe, escutava, sem prestar muita atenção, as palavras do médico. Seu pensamento vai longe e o seu desejo nesse momento era estar no ponto de encontro, esperando Maria Paula. Sua mãe o acordou do seu devaneio, enquanto o especialista avaliava os exames feitos em Angra e solicitava a ajuda de uma enfermeira para realizar outros exames laboratoriais.

Depois dos procedimentos de anamnese e exame físico, o doutor concluiu que o indicado seria enviar o caso do jovem para outro colega especialista em câncer de estômago. A sua *expertise* não era esse tipo da doença, mas ele sabia, por vivência, que essa categoria de cancro em seus estágios iniciais é muitas vezes assintomática (não produz sintomas óbvios), ou pode causar apenas sintomas inespecíficos (sintomas que não são específicos apenas para o câncer de estômago, mas também para outros distúrbios relacionados ou não). Quando os sintomas ocorrem, o câncer geralmente já atingiu um estágio avançado e há metástase (disseminação para outras partes, às vezes distantes, do corpo), que é uma das principais razões pelas quais o prognóstico é relativamente pobre. Entendeu de imediato a preocupação da colega.

Em seguida ligou para o doutor Juarez, cirurgião experiente em casos difíceis e informou sobre o pedido da doutora Claudia em favor do jovem surfista de Provetá.

— Bom dia, doutor Juarez! Tudo bem? Caro amigo, o motivo do meu contato é colocá-lo a par do encaminhamento de um paciente de Angra, a pedido da nossa colega, a doutora Cláudia Amorim. Depois de avaliar o caso e examiná-lo, penso que essa demanda seja da sua competência.

— Bom dia, Bruno! Comigo está tudo bem. Está com a carta de encaminhamento? Já alertou a família que trabalho em um hospital especializado em câncer? Terei imenso prazer em atendê-los. Como são de outra cidade, vou arrumar um encaixe para que não se perca tempo.

— Obrigado, Juarez! Vou acrescentar as minhas recomendações às observações da Claudia e orientarei a mãe sobre como chegar até aí.

Marisa, com um semblante angustiado, observava a situação. Tinha quase certeza da gravidade do problema. Afinal, se o caso não fosse tão sério, não teria motivo para tanta pressa. Sabia que "pessoas comuns", como eles, uma simples família de pescadores, sem recursos, não são atendidas normalmente com tanta agilidade. Agradecia a Deus pelo atendimento da médica de Angra, porque tudo estava acontecendo mais rápido graças à sua interferência.

Partiram do consultório do doutor Bruno direto para o Hospital do Câncer.

Lá, preencheram novos formulários e ficaram aguardando o chamado do médico.

Logo, uma enfermeira apareceu para conduzi-los ao seu destino.

— Por aqui, senhores – disse a moça, apontando para um corredor extenso que conduzia aos consultórios.

Ao entrarem na saleta, foram recebidos pelo simpático doutor Juarez. O ambiente era um tanto impessoal. Nas paredes brancas, não havia quadros, apenas um relógio antigo com ponteiros que pareciam se mover mais lentamente do que o tempo. Nada era acolhedor, apenas a voz suave do médico quebrava o gelo do momento.

Juarez contrastava com a dureza do ambiente. Era um homem de visível experiência e um sorriso confortante. Sabia da expectativa que os pacientes depositavam em suas mãos e dos momentos angustiantes que deveriam estar vivendo. Buscava transmitir-lhes segurança e tranquilidade. Era um homem de formação religiosa e exercia a medicina com amor, assim como a sua antiga colega de faculdade Claudia Amorim, por quem tinha grande afeição.

Depois de examinar João Carlos e conferir todos os resultados anteriores, ele encaminhou o paciente para outra bateria de exames. Sabia que a família vinha de longe e solicitou urgência. Alguma resposta já poderia ter. Não todas, mas com os laudos dos exames já realizados poderia fazer uma avaliação preliminar do caso. Assim que ficaram prontos os primeiros exames, o médico chamou o paciente e a mãe para o prognóstico. Foi estratégica a exclusão do avô da sala do consultório, afinal, era um momento muito delicado, e ele, por mais forte que aparentasse, tinha o coração mais frágil.

— João Carlos, há quanto tempo sente essas dores?

— Há uns quatro meses, mas tomava um antiácido e ficava bem.

— É o que quase todos fazem. Automedicam-se e não procuram médicos. Já temos o resultado de alguns exames importantes.

— E o que eu tenho doutor?

O rapaz estava aflito. Imóvel na cadeira mordia o lábio, observando o médico com os olhos vivos, bem atento. Aquele era o momento que Marisa tanto temia.

— Você é portador de um tumor no estômago – diz diretamente o médico, sem expressar emoção. Não podia fragilizar seu paciente.

— Oh! Meu Deus! – Marisa se desmancha em lágrimas.

— É maligno? Tem cura? – pergunta João Carlos, com um nó na garganta.

— Rapaz, o quadro nos sugere que seja, mas precisamos de mais alguns resultados. Com a sua idade, o câncer gástrico é muito raro e há outro tipo de neoplasia, no âmbito dos linfomas, que pode confundir o diagnóstico. O tipo de câncer do estômago é o "adenocarcinoma" ou mesmo outros tipos e, para que seja diagnosticado, é necessário realizar uma nova endoscopia, um exame semelhante ao que foi realizado no hospital de origem, mas desta vez, feita com biópsia, que vem a ser a retirada de um pedaço dessa tumoração gástrica. Desta forma, poderemos ter um diagnóstico preciso e, aí sim, traçar uma medida terapêutica. Na sua faixa etária, acometimento tumoral é bastante raro e só um diagnóstico de certeza poderá assegurar um tratamento adequado. Enquanto não tivermos o diagnóstico, qualquer coisa que se fale, será prematuro. Essa doença não segue o comportamento biológico básico da juventude. É um caso atípico.

João Carlos levanta-se, atordoado. As palavras do médico parecem se misturar aos seus pensamentos, numa confusão total.

— O que foi mesmo que ele disse? Tenho ou não, câncer?

Juarez fez uma pausa, observando a agonia do rapaz e falou com a calma de alguém acostumado a esse tipo de situação:

— João Carlos no momento temos de aguardar o resultado dos novos exames, para depois afirmarmos com certeza. É necessário que você entenda que seu caso é complexo, e esta é a sua "primeira consulta" comigo. Deveremos continuar até conseguir mais dados para avaliar o seu caso. Entenda que eu também não sei, até o momento, o seu diagnóstico. Fique tranquilo. Por outro lado, você é jovem, tem um ótimo estado geral, sendo mais fácil ter sucesso em qualquer tipo de tratamento. Tenha em mente, ainda, que você está em um bom centro de medicina e que, de fundamental importância, tem amigos que estão ao seu lado, com muito amor. Tente ficar tranquilo, estaremos juntos nesta etapa da sua vida e quero que saiba que, ao fazermos um diagnóstico no início de uma doença, o que parece ser o seu caso, temos certamente chances muito maiores de vencê-la. Preciso que seja confiante. Confie na minha experiência. – E, acompanhando o rapaz até a porta do consultório, sugeriu que fosse tomar um pouco de água e fazer companhia ao avô, que estava sentado no banco do corredor, à espera do término da consulta.

Essa era a oportunidade que teria para falar a sós com a mãe, sem causar mais angústia ao jovem.

— Dona Marisa, ainda não tenho os resultados finais, mas quero que de certa forma fique preparada para enfrentar um grande inimigo. Há necessidade de um diagnóstico preciso para traçarmos a conduta terapêutica. Caso se confirme um linfoma, habitualmente é do tipo não Hodgkin, o tratamento é à base de quimioterapia, com alta probabilidade de cura. Porém, pelos sintomas apresentados, a doença pode não estar tão no início conforme eu disse ao seu filho. Caso se confirme ser carcinoma, vai depender do estadiamento para programar o tratamento, que envolve cirurgia, quimioterapia e radioterapia. É muito complexo abordar todas as nuances de um tratamento, que é multidisciplinar;

isto é, abrange múltiplas especialidades, sem um diagnóstico definitivo. Mas entenda que o mais importante é estarem juntos, transmitindo amor, fundamental para o espírito, não só do paciente, como de toda a família. Temos um time de psicólogos na instituição que poderá ajudá-los nesse momento difícil.

Apesar do olhar atônito de Marisa, o médico continuou, ciente da sua dolorosa tarefa de esclarecer o quadro e a forma como deveria ser conduzido.

— Sei que é doloroso, não gostaria de ser o portador dessas tristes notícias, mas preciso prosseguir e esclarecer tudo. A senhora me permite? – estendeu-lhe a mão com um pequeno lenço de papel, para que ela pudesse enxugar as lágrimas que caíam sem controle.

— Sim, doutor, por favor...

— Faremos imediatamente a biópsia. Vou medicar o seu filho, acompanhar todos os procedimentos e, conforme for vamos discutir o caso com outros médicos. E, se for, necessário o procedimento cirúrgico, eu mesmo vou cuidar do caso. Também vou apresentá-los a toda a equipe. João Carlos será assistido por enfermeiros, nutricionistas e psicólogos. Vocês têm onde ficar aqui no Rio?

— Não, doutor, não temos. Não conhecemos ninguém aqui.

— Peço, então, dona Marisa, que se dirijam à sala da assistente social e entreguem este papel. Ela vai encaminhá-los para uma casa de assistência para pacientes portadores de neoplasia e seus acompanhantes. Eles poderão hospedá-los até que possam voltar para casa, caso a cirurgia seja necessária. Assim poderá ficar mais próxima do hospital e visitá-lo com frequência. Conforme for, caso os exames sejam positivos, vamos agendar imediatamente a cirurgia, que requer um controle e preparo específicos.

João Carlos retornou ao consultório para se juntar à mãe. Estava no mais absoluto silêncio, e o lugar lhe era assustador. Não conseguiu ouvir as últimas palavras do médico nem o choro sofrido de sua mãe. Estava se sentindo congelado, dormente, quase sem emoção. É como se apenas o seu corpo estivesse ali. De repente, um turbilhão de pensamentos começou a surgir. Parecia um tsunami... Devastador, não o deixando em condições de raciocinar direito. Sentia revolta, medo e pavor, estava a ponto de gritar e sair dali correndo, dizendo que era tudo um engano, que nada estava acontecendo, não com ele.

— Meu jovem – disse pausadamente o médico, transmitindo uma confiança inabalável – estarei ao seu lado e tenho certeza de que as coisas vão ficar bem. Confie em Deus e na medicina dos homens – confortou o rapaz, com um toque firme e seguro em suas mãos.

João Carlos sai novamente para o corredor do hospital e Marisa continuou a conversa com o doutor Juarez. O médico esclareceu todas as suas dúvidas sobre a doença. Falou sobre os procedimentos cirúrgicos, quimio e radioterapias, normalmente aplicados em casos semelhantes. Tranquilizou-a sobre a chance curativa da cirurgia na eliminação do tumor, desde que a doença fosse diagnosticada precocemente. Explicou que a quimioterapia envolvia o uso de drogas “anticâncer”, administradas por via oral ou injetadas na veia, e da radiação de alta energia “radioterápica”, usada para atacar diretamente as células doentes. Falou sobre os tratamentos adjuntos para combater os efeitos colaterais causados pelos dois procedimentos, em razão de, na maioria dos casos, atacarem também as células saudáveis. O médico relatou com toda a atenção que o momento exigia todos os cuidados e o detalhamento sobre a cirurgia de câncer de estômago. Afirmou que a gastrectomia podia ser parcial (remoção de parte do estômago) ou total (remoção integral do estômago) e falou, ainda, sobre uma possível linfadenectomia (remoção dos gânglios linfáticos ao redor do estômago). Fez questão de deixar claro que tudo dependia do estágio da doença. Finalmente, explicou que, mesmo os portadores de câncer de estômago em fase mais avançada, isto é, quando há comprometimento de camadas mais profundas da parede gástrica, de órgãos vizinhos ou metástases à distância, existe benefício em retirar parte do estômago ou o órgão inteiro que contém o tumor – procedimento que permite melhor qualidade de vida ao paciente, evitando complicações, como sangramentos ou obstrução à passagem de alimentos. Disse que o melhor tratamento para cada caso deveria ser sempre discutido entre o paciente e o médico, quando de conhecimento do histórico, através dos exames físicos, dos exames laboratoriais e das condições físicas do paciente com câncer gástrico. A partir desse conhecimento, o médico teria condições de propor o tratamento mais adequado para cada tipo de tumor.

Marisa ouviu atentamente cada palavra do médico e fez uma pergunta pertinente ao caso:

— De onde surge esta doença, doutor?

— Mãe, as causas de câncer de estômago não são plenamente conhecidas, entretanto, alguns fatores têm sido identificados no aumento do risco para o aparecimento do tumor gástrico. Um grande fator de risco para o desenvolvimento do câncer de estômago é a dieta. As principais substâncias relacionadas ao câncer gástrico são os nitratos e nitritos, que quando digeridos são transformados em nitrosaminas, ajudando a causar o câncer. Os nitratos e nitritos são encontrados, principalmente, em alimentos defumados e vegetais guardados em conserva. Também são notados em carnes conservadas à base de sal, como peixes e carne de sol. Isso tudo pode parecer muito técnico, mas eu sempre acho que vale a pena explicar em detalhes...

— Não se preocupe doutor, eu preciso mesmo saber mais sobre isso tudo, afinal é meu filho! – disse Marisa ao detalhista médico.

— Por outro lado – prosseguiu o doutor –, algumas substâncias, como ácido ascórbico e betacaroteno, encontradas em frutas e verduras frescas, agem como protetoras contra este tipo de câncer, porque evitam que os nitritos se transformem em nitrosaminas. Além da dieta e da conservação dos alimentos, outro fator de risco para o câncer gástrico é a presença de uma bactéria no estômago, conhecida como *Helicobacterpylori*. Essa bactéria é encontrada em algumas pessoas e está associada ao aparecimento de alguns tipos de gastrites e úlceras de estômago, e também ao desenvolvimento do câncer de estômago. Olhe que isto é muito importante: o uso de tabaco e o consumo de bebidas alcoólicas também são igualmente fatores de risco para o surgimento de câncer de estômago. Os pólipos adenomatosos de estômago são tumores benignos da mucosa do mesmo e são mais frequentes em pessoas na faixa dos 50 e 70 anos de idade. São diagnosticados por meio da endoscopia. Uma dieta rica em frutas e verduras frescas, evitando alimentos defumados e enlatados, é uma boa medida preventiva do câncer de estômago. As pessoas que pertençam a qualquer grupo de risco devem consultar o médico e realizar endoscopias digestivas como forma preventiva.

O jovem retornou ao consultório e escutou atentamente as informações do médico:

— João Carlos, a união e o amor da sua família e de seus amigos serão o seu suporte neste momento, ajudando-o a lutar mesmo quando se sentir desesperado e angustiado. Quero lhe assegurar que farei parte desse time, estando ao seu lado com toda a minha dedicação, exercendo o meu ofício com todo amor. Ao que tudo indica, em casos idênticos ao seu, já vistos por mim, o prognóstico é de cura absoluta.

Hoje, inicia-se entre nós uma forte etapa de cumplicidade. Saiba que existem muitas nuances no mundo das amizades, que são amplamente retratadas como ferramentas pessoais. O ponto de partida se desenvolve no revelar dos sentimentos, compartilhando as descobertas e se alegrando com as conquistas. Somos uma equipe de vencedores a serviço dos nossos semelhantes.

JC sente a força daquelas palavras e lentamente se acalma, recuperando o controle de suas emoções, dizendo carinhosamente para sua mãe:

— Minha mãezinha, talvez esse seja o início de uma grande batalha, mas fique certa de que serei um grande soldado e vou vencer. Preciso que seja forte e lute comigo. Não fraqueje, nem perca sua fé. Lembra-se? Foi você quem me ensinou a nunca perder a fé. E nem temos ainda o diagnóstico final. O tratamento pode ser mais simples do que pensamos. Às vezes, sofremos por antecedência.

Marisa, com os olhos encharcados, abraça o filho e fala baixinho ao seu ouvido:

— Se o prognóstico se confirmar, vamos lutar juntinhos. Te amo muito, meu menino.

João Carlos estava, neste momento, entrando na fase mais dolorosa da sua vida, mas também a mais importante na área de descobertas de sentimentos puros e verdadeiros, tão necessários na construção de uma feliz história de vida.

21

Fim do romance

Voltaram a Angra, calados. Todos acometidos por uma tristeza profunda. Agora era a hora de tomar as providências necessárias: deixar tudo organizado para, assim que recebessem o telefonema do hospital, estivessem em prontas condições de seguirem as orientações recebidas. Caso a doença necessitasse de procedimento cirúrgico, a intervenção deveria ser agendada imediatamente.

O dia seguinte não foi fácil para João Carlos. Silencioso, mal dirigia a palavra às pessoas. O seu destino estava sendo traçado e a sua vida certamente jamais seria a mesma. Estava se sentindo muito ferido, questionando tudo em que acreditava. Como poderia ele desenvolver uma doença tão terrível? Ele era um bom garoto. Não fazia mal a ninguém. Por qual motivo estaria passando por tal coisa? Mesmo que o médico o desenganasse, precisava continuar lutando. Era jovem e amava a vida. Não, não podia perder a fé. Esta talvez fosse a mais poderosa arma que poderia usar contra a enfermidade.

— Meu Deus, não permita que eu perca minha fé! Dê-me forças para continuar acreditando que ainda tenho um futuro...

Estava decidido sobre Maria Paula: não a veria mais.

Não era justo fazê-la conviver com aquela dor. Estava certo disso e nada iria demovê-lo dessa ideia. Marcou um encontro no lugar de sempre e foi esperá-la. O seu coração disparou de emoção assim que a viu com os cabelos louros, presos num rabo de cavalo frouxo, com alguns cachos dourados teimando em cair sobre sua testa. O perfume de rosas que emanava da sua pele quase o fez desistir do propósito do encontro. Resistindo à tentação de puxá-la para seus braços, iniciou uma breve conversa para finalizar o tão recente namoro. Precisava falar rápido, antes que mudasse de ideia, afinal, parecia que a conhecia de longa data.

Maria Paula esperava ansiosa por esse encontro.

Estava com muitas saudades de seu surfista, louca para abraçá-lo e beijá-lo. Sabia que tinha ido ao médico, mas nem passava pela sua cabeça que poderia ser algo realmente sério. Eram jovens, saudáveis, com um longo futuro pela frente: o que poderia abatê-los?

Ao vê-lo chegar, lindo como sempre, correu ao seu encontro.

João Carlos, a abraça com ternura, mas, imediatamente se lembra da sua decisão e a afasta um pouco, olha diretamente em seus olhos e diz:

— Acho melhor a gente não se ver mais – falou de supetão, antes que o seu perfume o fizesse desistir. Fitou a expressão de surpresa da moça e, por um momento, ficou confuso ao perceber a agonia nos olhos da garota. Não suportava a ideia de magoá-la, mas o namoro era recente e não faltariam pretendentes para passar o restante das férias ao seu lado. Para ele, era muito importante poupá-la do processo doloroso que enfrentaria em breve, até por que ela logo voltaria à sua rotina em São Paulo e os momentos que passaram juntos seriam apenas lembranças. Por que transformar momentos de sublime emoção em algo triste? Teve vontade de contar o que estava sentindo, mas lhe faltou coragem. Queria que ela se lembrasse dele como um surfista que sempre dominou as águas azuis daquele paraíso e não de um cara sem cabelos, vomitando a toda hora por causa dos efeitos da quimio e da medicação pesada que teria de consumir. Não seria justo mudar os planos de uma menina, que iniciou um namoro com um cara saudável, de boa aparência, de repente se deparar com o cenário sem expectativas de um cara muito doente. Esta era a fase dela em sua transição de adolescente para mulher e ele queria que ela vivesse tudo o que tinha direito. Neste momento, o que poderia lhe oferecer era apenas dor. Ela encontraria a companhia de outro cara legal para distraí-la nos próximos dias, pensou cheio de ciúmes.

Não havia entre eles um namoro sólido, que justificasse envolvê-la em uma situação tão particular e dolorosa. Mesmo estando tão envolvido emocionalmente, sabia que o que tinham era um namorico de férias, desses que se inicia rapidamente e termina da mesma forma.

Maria Paula, sem saber o que estava acontecendo e com um nó na garganta, perguntou, com a voz trêmula:

— Fiz algo de errado? Você nem me contou sobre o médico. Por que tomou essa decisão?

— Não é nada com você, é comigo. Estou fazendo uns exames na capital... Suspeitam que eu esteja muito doente e que seja muito grave.

— Mas são só suspeitas... E mesmo que não fosse, o que isso pode interferir entre nós? Nem perguntou se é isso mesmo o que eu quero.

Maria Paula sentiu seu coração acelerar. Estava tentando não ver o que acontecia. Passara todo esse tempo só pensando na paixão que estavam vivendo e se tornou cega ao que ocorria ao seu redor. Ele estaria muito doente? Foi isso mesmo que ouvira?

Doente... Doente... Doente... A palavra se repetia, fazendo um eco sinistro em sua cabeça. Em seu peito surgiu uma pressão tão grande, que não se lembra de algum dia ter sentido algo igual.

— Doente. Muito doente. É grave? – falou, tentando controlar as lágrimas para que não rolassem pelo seu rosto. E completou: – Agora percebo. Mas o que tem isso a ver com a gente?

— Vou iniciar um tratamento muito doloroso e não quero prender você e atrapalhar as suas férias.

— Entendo perfeitamente a dor e angústia que está vivendo, JC – disse ela, com gestos de desespero, tentando fazer João Carlos mudar de ideia. – Não deve ser nada fácil essa expectativa e a possibilidade de ficar muito debilitado, mas estou envolvida emocionalmente e você não tem o direito de me pedir para ficar de fora nesse momento. Por mais que eu entenda a sua situação, não posso concordar com essa sua atitude. Sinto-me mais apaixonada a cada dia. Se não sente o mesmo que eu, aceito sua decisão.

"Estou me apaixonando a cada dia." Essas palavras, ouvidas pela primeira vez dos lábios de Maria Paula foram como música para os seus ouvidos. Como gostaria de estar feliz em ouvi-las. Mas, ao contrário, ficou mais apreensivo.

Não queria vê-la sofrer, não mesmo. Não suportaria ver aquele belo rosto se entristecendo junto às suas dores.

— Eu também sinto algo forte por você, mas, vai ser melhor terminar agora. Você ainda vai me agradecer por isso.

— Agradecer? Por me fazer sofrer? Você quer me castigar porque acha que está sendo castigado?

— Não torne as coisas mais difíceis do que já estão. Por favor...

— Isso não é justo, nem comigo, nem com você mesmo – disse ela, olhando para o rapaz com os olhos marejados pelas lágrimas.

— Não vamos prolongar mais isso. Por favor...

— Tudo bem. Uma vez que decidiu, vou respeitá-lo. Também tenho orgulho e não vou implorar para fazer o que não quer.

Quando a moça se virou para ir embora, ele a chamou de volta e estendeu um pacote em sua direção.

— Quero que fique com isso.

— O que é?

— Abra e veja – respondeu, carinhosamente.

— Um colar feito com as conchas que encontramos na praia do Aventureiro?

— Sim, pedi para a artesã do vilarejo fazê-lo. Estou usando o meu – ele apontou para o próprio pescoço. – É para não se esquecer de mim.

— Como se isso fosse possível – disse a garota, com um ar melancólico.

Ele colocou o colar no pescoço da menina e, com um beijo, se despediram.

— Adeus, João Carlos.

— Adeus, Maria Paula.

Quando ela parte, as lágrimas caem livres pelo rosto abatido do rapaz. Tinha a impressão de que a terra se abriria aos seus pés e o tragaria como um dragão furioso. Sentia que o seu jovem coração explodiria em uma palpitação intensa e, por um momento, seus pensamentos ficaram fora de controle.

Um sentimento de autopiedade o invadiu. Pior do que isso era a ideia de que alguém, além dele mesmo, pudesse sentir pena da sua situação.

Seguiu sem rumo e sentou-se no topo de uma rocha, com o olhar perdido no infinito de águas à sua frente. Sentia saudades do seu pai que, sem saber de nada, trabalhava em alto-mar.

— Por que está acontecendo isso comigo?

De repente, ele entrou em desespero. Com o rosto crispado e aquecido pelas lágrimas, gritou angustiado, para o mar:

— Pai! Onde está você, pai? Ajude-me! Preciso do senhor, pai. Sozinho, eu não vou aguentar. Ajude-me, por favor, paizinho... – e chorou copiosamente, com toda a dor da sua alma.

***

Francisco chegou em sua casa carregando uma mochila e várias sacolas de compras. Nem passava pela sua cabeça o sofrimento que se abatera sobre a sua família. A casa estava fechada.

Passou pelos fundos, pegou uma chave extra que ficava embaixo do tapete e entrou. No entanto, para a sua surpresa, todos estão lá dentro. Uma sensação estranha invadiu o seu peito, como a lhe avisar que algo estava muito errado. De pé, na beirada da pia, Maria do Socorro, concentrada, descascava batatas. Isabela estava sentada no sofá, com Ricardinho deitado em seu colo.

— Olá! Vocês estão aí! – chegou ele, forçando um sorriso. – Por que a casa está fechada a esta hora?

Ricardinho correu em sua direção, chorando. Maria do Socorro se assustou, derrubando as batatas. Isabela olhou para o pai, que parecia perdido no meio de tamanha confusão.

— Papai, o João Carlos está muito doente – disse Ricardinho, desesperado.

Francisco se assustou, largou as bolsas de compras no chão e ouviu-se barulho de garrafas se quebrando.

— Deixa de bobagem, filho. Isabela, o que está acontecendo por aqui?

— Pai, aconteceu algo muito triste. As dores que João Carlos sentia estão sendo investigadas e há grandes chances de ser um câncer de estômago. Estamos apavorados, paizinho.

— Onde ele está?

— Está por aí, sofrendo em algum lugar. Estamos aguardando um telefonema do hospital a qualquer momento, informando o resultado do exame.

Francisco sabia onde encontrar o filho. Caminhou rapidamente em direção às pedras, com lágrimas nos olhos. O seu coração de pai zeloso, brutalmente assaltado pela culpa de não estar com a família nesse momento de aflição intensa, se comprimia no peito à medida que seguia ao seu destino. Ao mesmo tempo, procurava se acalmar, em um esforço hercúleo para não passar a sua dor para o filho. Pelo caminho, ia orando:

— Deus, não deixe acontecer o pior com a minha criança. Por favor, se tiver que levar alguém, que seja eu, meu Deus. Meu filho é apenas um menino. Por favor, Te peço, poupe o meu filho.

João Carlos viu o pai despontando nas pedras e correu ao seu encontro.

— Pai, o senhor me ouviu! Eu o chamei! – disse ele, jogando-se nos braços de Francisco, como fazia quando era pequeno.

O pai o abraçou e o consolou:

— Não vai acontecer nada de mal, meu filho. Eu não vou deixar, está me ouvindo? Eu estou aqui.

João Carlos balançou a cabeça assentindo e se acomodando no peito protetor do pai, sentindo-se verdadeiramente protegido.

22

A dor da separação

Maria Paula estava deitada, apática, com o olhar fixo em um ponto invisível no teto do seu quarto. O seu jovem coração, tão acostumado à vida sem sobressaltos, agora enfrentava uma situação inusitada: a perda. Ela não podia compreender o que estava acontecendo. Tudo estava tão bem, tão perfeito...

Bárbara, deitada ao lado, tentava consolar a amiga. Estela entrou de repente e estranhou a tristeza da filha. Com um abraço carinhoso, investigou sobre o assunto.

— Por que a minha princesa está tão triste?

— Já fiz a mesma pergunta, tia, e até agora não consegui tirar uma palavra da boca dessa menina, que só faz chorar desde que chegou da praia.

— Amiga, ele não quer mais ficar comigo.

— Ele quem? – Estela perguntou, com um olhar interrogativo.

— João Carlos, mãe. O garoto que tenho visto na praia.

— E não me contou? Não acredito que está em prantos por causa de um namorado, e eu nem sabia que ele existia. Por que não me contou?

— Não é namoro, mãe. Estava só ficando.

— E qual é a diferença se, da mesma maneira, você está sofrendo? Que importa o nome que damos? – perguntou a mãe, aflita.

— Mãe, nem se preocupe mais com esse assunto. Ele me deu o fora, hoje.

— Vai ficar tudo bem, amiga. Tome um banho e vamos descer para o jantar – disse Bárbara.

— Estou sem fome. Desçam vocês, eu quero ficar um pouco sozinha.

Maria Paula não conseguia entender o motivo que levara João Carlos a tomar aquela decisão. Passou horas pensando e relembrando os momentos em que passaram juntos. Chorava triste, abandonada, sofrendo com as lembranças dos momentos felizes em que trocaram palavras de carinho sob o luar. Lembrava-se do seu corpo perfumado, de seus braços fortes a envolvendo, fazendo o seu coração disparar. Ela ainda podia ouvir o som do riacho borbulhando, misturado com os tranquilos suspiros descompassados do namorado, depois de cada beijo mais assanhado. Lembrava-se que pela primeira vez sentia o coração disparado as pernas tremerem quando via um garoto, e chorava baixinho. Não queria que descobrissem o seu segredo. Como ele pôde brincar com os seus sentimentos com tanta crueldade? Aos poucos, foi se acalmando, apertou sua cadelinha contra o peito e não demorou a mergulhar em um sono profundo e sem sonhos.

Nos dias que se seguiram, nada mudou. A vulnerabilidade e o abalo emocional causados pela separação dos jovens João Carlos e Maria Paula começava a despertar o instinto protetor de Olímpio, que estava prestes a tomar uma atitude para proteger seu lar e suavizar o sofrimento de sua neta.

Quando descia para o café da manhã, Maria Paula tentava se adaptar aos efeitos causados pela frustração da sua primeira decepção amorosa. Sua fisionomia estava pálida e não conseguia disfarçar a tristeza que estava sentindo. Encontrou a mãe ao celular, falando com seu pai.

— Oi, meu amor! Estou morrendo de saudades! Estamos todos bem, não se preocupe. Maria Paula é que anda um pouco abatida; coisas de adolescente. Você chega quando, amor? Amanhã? Que maravilha! Cuide-se. Beijos. Te amo.

Desligou o telefone e ficou olhando cheia de carinho para a sua aliança. Depois da refeição, Maria Paula, ainda sem forças para reagir, trancou-se novamente no quarto e lá passou o resto do dia, sem ao menos descer para saborear os quitutes deliciosos da Lucrécia. Bárbara tentava consolá-la e tirá-la da inércia, mas a jovem se recusava a ouvi-la.

Olímpio não aguentava mais tanta tristeza naquela casa. Inconformado, resolveu dar uma de detetive particular e investigar o que estava acontecendo. Numa aldeia tão pequena, certamente alguém diria alguma coisa. Chamou o seu fiel escudeiro, o neto Matheus, e desceram a trilha que conduzia à praia, na captura de notícias.

— Vô vamos fazer uma investigação? Que irado... – falou, cheio de euforia.

— Vamos saber notícias do namorado da sua irmã – retrucou o avô.

— Ela tem namorado? – perguntou o jovem, com os olhos bem atentos. – Vou contar para o meu pai.

— Vai contar nada, moleque. Vamos começar pelo quiosque da Jurema.

Matheus vê Eduardo, o amigo de JC e, agora, namorado de Isabela, dando aulas de *bodyboarding* para uma galera muito animada. Aproximou-se e começou uma conversa:

— Tem visto João Carlos?

— Sim. O vi hoje, mais cedo, na praia. Aconteceu alguma coisa?

— Ainda não sei. Eu e meu avô estamos aqui numa investigação para descobrir – afirmou Matheus com ares de importante.

— Investigando, é?

— Isso mesmo. Sabe alguma coisa? – Continuou todo animado.

Olímpio interrompe o neto com um sorriso.

— Meu rapaz, a minha neta está no quarto há dias, só faz chorar, não se alimenta direito e não vai a lugar nenhum. Você saberia o motivo, por acaso? – adianta-se Olímpio, na tentativa de obter informações mais precisas.

Eduardo deu uma tapinha amistosa nos ombros de Matheus e respondeu calmamente à pergunta de Olímpio.

— Não estou sabendo de nada, senhor – afirmou ele, sem querer contar sobre a doença do amigo. – Por que o senhor não vai até a casa deles? Fica logo ali... – disse, apontando para a casa simples, de cor rosa fosco meio descascando, quase totalmente oculta pelos arbustos do terreno.

— Valeu Eduardo! – Despediu-se Matheus.

— Obrigado, meu rapaz, ajudou bastante – despediu-se também o velho.

— Por nada.

Seguem em direção à pequena construção... Olímpio bate palmas e aguarda alguém atendê-los. Maria do Socorro aparece na janela e pergunta:

— Posso ajudar?

— Sim, senhora. É aqui que mora João Carlos?

— Sim. Quem é o senhor?

— O avô de Maria Paula. Conhecemo-nos na praia dias atrás, num luau. Ele está?

— Não, acabou de sair. Foi ver o jogo de futebol dos amigos na praia. Não sei como o senhor não esbarrou com ele.

— Vou ver se consigo encontrá-lo. Obrigado, minha senhora... E tenha um bom dia.

Depois de uma caminhada de uns 20 minutos, Olímpio avista o garoto sentado na areia, observando o jogo de futebol. Aproximou-se e o cumprimentou com um sorriso. Percebeu que alguma coisa não ia bem, pela aparência abatida do jovem e pelo boné, escondendo a cabeça completamente careca.

Logo após a confirmação da doença pela biópsia, João Carlos raspara seus cabelos dourados. Sabia que não era o momento, que a cirurgia ainda seria marcada, contudo, preferiu se antecipar às respostas do corpo aos procedimentos terapêuticos e decidiu ele mesmo raspar sua cabeça. Ficou diante do espelho por um longo tempo, com o olhar perdido... Até que conseguisse tomar uma atitude. Observando-o pela fresta da porta, Isabela compartilhava silenciosamente com o irmão, a sua dor.

Olímpio dirigiu-se ao rapaz:

— Olá, JC. Está tudo bem?

— Olá, senhor. Tudo bem – respondeu, ficando de pé. – Oi, Matheus! – cumprimentou o garoto, passando a mão por seus cabelos.

— Estava procurando por você, João Carlos – disse o avô de Maria Paula.

— Posso ajudar o senhor em alguma coisa?

— Sim, acho que pode. Você tem ideia do que aconteceu com a minha neta?

— Não, aconteceu alguma coisa?

— Claro. Há dias está trancada no quarto sem falar com ninguém.

— Bem, nós resolvemos dar um tempo, mas não deve ser esse o motivo. Será que ela não está doente? – perguntou João Carlos, meio desconsertado.

— Já entendi – assentiu – A doença dela não é física. Por que terminaram?

— Porque não dá mais...!

— Por que não diz a verdade? – fala Eduardo, chegando de repente.

— Não tenho nada para dizer. Só por isso...

— Está certo. Não vou insistir. Cuide-se, filho. – Você está muito abatido, talvez também esteja sofrendo – despede-se e segue de volta para casa, intrigado com a palidez e o boné escondendo a cabeça nua do jovem onde, havia alguns dias, exibia uma vasta cabeleira. Não entendia os jovens. Por que raspar a cabeça? Que moda mais estranha.

Depois que Olímpio vai embora, JC se zanga com Eduardo por se intrometer no assunto:

— "Valeu" pela ajuda, cara. Quase me entregou! – disse ele, chateado.

— Nada disso... Quero abrir seus olhos. E tem mais, você não vai naquela excursão maluca e clandestina que você está planejando. Eu não vou permitir.

— Vou, sim – disse ele, alterado.

— Não vai, não. Você sabe que está doente e sem condições de participar de uma aventura dessas, por mais breve que seja.

— Eu estou medicado e aguardando a data da intervenção cirúrgica e, depois, você não pode me negar esse prazer, sabendo que depois da cirurgia vou ficar muito tempo longe da minha vida aqui. Chega a ser desumano da sua parte fazer isso – disse JC.

— Não apela, tá? Não vai comover meu coração com esta lamentação barata. E tem mais um motivo para você ficar: vou convencer Maria Paula a ir e, pelo que estou sabendo, vocês não estão mais juntos.

— Vou mesmo assim... – afirmou ele, dizendo que estaria no ponto de encontro no dia combinado. Levantou-se e caminhou calmamente, de volta para casa.

23

A chegada de Arthur

Olímpio serviu-se de uma taça de vinho e sentou-se em sua poltrona predileta, contemplando sua biblioteca com expressão nostálgica. Este era o lugar da casa de que a sua saudosa esposa mais gostava. A construção de belas proporções e estilo vitoriano tornou-se a sua habitação desde que descobriu a doença da amada. Não gostava de falar muito sobre o assunto, pois sua esposa sofrera muito, vitimada por um câncer de mama que primeiro a amputou, para depois levá-la à morte.

A primeira vez que a viu, o primeiro beijo, tímido, que para ele foi um milagre, a sua voz doce, porém firme, era capaz de acalmá-lo e conduzi-lo da fantasia à vida real em fração de segundos. Sorvendo pouco a pouco seu vinho, mergulhou numa doce viagem ao passado, relembrando momentos tão importantes da sua vida. Foi interrompido pela entrada intempestiva de Lucrécia, que segurava Matheus pelo braço.

— Venha cá, seu moleque atrevido – dizia ela.

— Lucrécia, o que houve agora? – perguntou Olímpio impaciente.

— Fala para o seu avô o que você aprontou – disse Lucrécia, entre dentes.

— Mas eu não fiz nada... – disse o garoto, com cara travessa. – Apenas coloquei uma baratinha de borracha no copo de suco dela. Nada demais.

— E este escândalo todo é só por causa de um inseto de nada, que nem de verdade é? – perguntou Olímpio, rindo.

— Fala isso porque não foi com o senhor. Eu quase tive um enfarte de susto. E o senhor ainda acha graça? Ai, meu Deus... Aonde vamos parar? – ela balança os braços, em desespero.

— Oh, Lucrécia... Ele é apenas uma criança.

— Ele não é apenas uma criança, ele é o moleque mais travesso que já conheci, isso sim – disse ela. E se afastou, resmungando.

Olímpio convidou o neto a sentar-se em seu colo e o aconselhou, com todo carinho.

No dia seguinte, Maria Paula saiu para a luz do sol, acompanhada pela amiga, justamente quando o motorista chegou, carregando as malas do pai e as depositou diante da casa. A jovem ergueu a mão para proteger os olhos da luminosidade para ver melhor o homem lindo que se aproximava. Ele era o seu herói, com ele aprendia silenciosamente ensinamentos valiosos, como ser paciente, estar sempre disponível para a família, ajudar as pessoas em qualquer lugar e a qualquer hora. Aprendia que ser transparente e digna torna a pessoa mais feliz consigo mesma. Envolta nestes pensamentos, nem notou que estava trêmula de emoção.

Arthur atravessou o cais com extrema naturalidade. Seguindo em direção à casa, abraçou Maria Paula, cumprimentou Bárbara e subiu a escada imponente que conhecia tão bem. Estela prendeu a respiração, como se o estivesse vendo pela primeira vez, correu a abraçá-lo, beijando-o cheia de saudades.

— Por Deus, Arthur! Você me disse que não demoraria a vir! – murmurou com um perverso toque de humor, enquanto seu coração se acelerava.

O marido estava mais bonito do que nunca, vestindo terno cinza-claro, camisa branca e uma gravata frouxa de seda italiana, também cinza com listras vermelhas. Antes, precisou ir ao escritório assinar uns papéis e fora, então, direto para a casa do pai, não se preocupando em se trocar. Carinhosamente, ele respondeu para Estela:

— Estou aqui, meu coração!

Arthur entrou na casa com uma ansiedade infantil. Não sabia ao certo o que sentiria, mas não se preocupou em tentar decifrar as emoções. Apenas deu um longo e forte abraço no pai, beijou o filho Matheus e, com respeito, beijou as mãos de Lucrécia.

Maria Paula se aconchegou junto dele, toda dengosa.

— Ainda bem que você está aqui, paizinho – disse ela, sentindo-se segura. Abraçada ao pai, começa o relato sobre o que lhe aconteceu nos últimos dias, sem poupar nenhum detalhe; ou melhor, minuciando a maioria deles.

Arthur olha sua menina com doçura e pensa em como é boa a descoberta da primeira paixão. Mesmo assim a consola dizendo que logo ela retornaria para casa e esqueceria aquilo tudo. Na sua idade, apaixonar-se era coisa corriqueira e que o que ela precisava mesmo era se dedicar aos estudos.

Olhando para os detalhes do velho e aconchegante casarão, foi tomado por uma súbita tristeza, remetido aos dias que ali passou, curtindo o período de suas férias. Aquele terrível sentimento de perda e de saudades preencheu completamente os seus sentimentos.

Limpou a garganta, disfarçando, deu um largo sorriso e abriu os braços, num abraço coletivo.

Olímpio sente como se as coisas estivessem novamente tomando os seus devidos lugares. Aquele momento era esperado por ele há muito tempo. Fechou os olhos, fazendo uma oração silenciosa de agradecimento e imaginou o quanto Amália ficaria feliz em ver a família reunida como estavam naquele momento.

24

Testando os limites

Marisa não sabia nada a respeito daquela caminhada irresponsável. João Carlos seria internado em alguns dias para a cirurgia e ela nem imaginava o que o filho tinha em mente.

JC sequer pensou nas consequências de seus atos e convenceu os amigos e a irmã a irem nessa aventura com ele. Todos concordaram em fazer um voto de silêncio e participarem daquele passeio louco. Como dizer "não" para ele? Poderia ser, talvez, a sua última aventura e não queriam carregar esse peso na consciência. Porém, fizeram-no prometer que iria com calma, devagar e que, se passasse mal, voltariam imediatamente, pois sua cirurgia já estava marcada e não poderiam ter imprevistos.

Fosse desfrutando de uma boa caminhada nas trilhas das matas nativas da localidade ou descendo o rio em um caiaque, João Carlos sempre gozava daquela sensação inexplicável de liberdade e absoluta segurança. Enquanto se preparava para a excursão à Cachoeira da Feiticeira, refletia preocupado se ele teria a oportunidade de constituir uma família ou se a sua vida estaria mesmo chegando ao fim.

Por um momento, considerou os conselhos de Eduardo, lembrando que a trilha era íngreme e cansativa. Mas, só de pensar na beleza do lugar e possibilidade de nunca mais poder apreciá-lo, esquecia quaisquer dificuldades que pudesse enfrentar para visitá-lo antes da cirurgia. Não poderia querer outro lugar para estar naquele momento. Gostava da atmosfera exótica da cachoeira lendária e tinha uma preferência pelo desafio de escalar os picos daquele paraíso.

Chegou ao local de encontro às sete horas em ponto, hora marcada para a partida rumo a mais uma aventura. Antes de partir numa expedição, ele sempre estudava as fichas dos membros de seu grupo para descobrir sobre suas experiências nesse tipo de ambiente. Assim, dedicava seus cuidados e orientações aos mais despreparados, para prevenir possíveis acidentes. "Aquela jornada seria como qualquer outra", disse a si mesmo. A mesma excitação, a mesma emoção de partilhar experiências com outras pessoas, com uma única diferença: esse grupo era formado apenas por amigos e Eduardo é quem, desta vez, lideraria a galera. Suas razões para fazer esse passeio era tentar esquecer um pouco a sua dor e gravar na memória imagens que, certamente, não iria rever tão cedo.

No meio da manhã, com Eduardo à frente conduzindo o grupo, após algum tempo de caminhada pararam perto de uma nascente e, enquanto Maria Paula enchia os cantis, Eduardo abriu o mapa sobre uma pedra plana e discutiu a rota com o amigo. Isabela inclinou-se, por trás, sobre o ombro do namorado. Ele sentia o contato do braço de sua amada em sua nuca e a mantinha aconchegada junto ao corpo. Fez um esforço supremo para não demonstrar seus desejos e não assumir, diante de todos, que estava apaixonado pela moça. Manteve os olhos fixos no mapa, enquanto JC e Maria Paula se olhavam, completamente desconcertados, ela também surpresa com a mudança física dele.

— Seguiremos este trecho até as ruínas do Aqueduto – disse João Carlos, acompanhando uma linha no mapa, com um dedo.

— Até onde podemos chegar, antes do cair da tarde? – o tom de Maria Paula mostrava energia e um toque de ansiedade, já que tinha esperança de reatar o namoro com João Carlos durante o passeio.

— Provavelmente, até aqui – Eduardo indicou um ponto no mapa.

— Espero que não estejam indo devagar por minha causa, posso acompanhar – anunciou João Carlos.

— Tenho certeza disso, "senhor Machão" – brincou Eduardo. – Mesmo assim, vamos com calma, não temos pressa. Esse é um passeio e não uma maratona. Queremos aproveitar a paisagem e a companhia dessas belas moças.

— Mas podemos passar a maior parte do nosso tempo no ponto final do nosso destino, certo? Assim, vamos aproveitar um pouco mais daquele lugar desenhado por pinceis mágicos, pelo artista mais talentoso do mundo; o criador de todas as coisas – afirmou JC, regulando os passos e já apresentando forte sinal de cansaço. Maria Paula piscou para Bárbara – que, acompanhada por Ygor, a incentivava com um olhar amigo. Respirou fundo e se aproximou de João Carlos para puxar assunto.

— Diante desse cenário, fico imaginando como as pessoas têm coragem de desmatar sem se preocupar com o futuro do planeta.

— Você tem razão – responde calmamente JC. – É uma pena serem tão poucas as pessoas preocupadas com o "pulmão" da Terra.

— O homem é uma criatura estranha. Preocupam-se em encher os bolsos de dinheiro sem nem ao menos saber se daqui a 30 ou 40 anos não teremos mais onde viver. Do jeito que tratamos assuntos importantes, como lixo, desmatamento e água, em breve viveremos em cidades destruídas, iguais às apresentadas por alguns filmes futurísticos.

— Talvez esse dinheiro seja para comprar um terreno noutro planeta – opinou um dos integrantes da expedição, intrometendo-se na conversa e rindo.

— Será que podemos fazer algo para mudar? – perguntou outro amigo do grupo, com um pensamento sonhador.

— Fazer o quê? – perguntou Bárbara.

— Sei lá... Alguma coisa – respondeu o rapaz.

— Na história, sempre teve uma organização juvenil defendendo alguma causa. Que tal a gente defender a natureza? – Sugeriu Maria Paula, com um leve sorriso.

— Quem sabe? Somos nove jovens, podemos pensar em uma maneira de ajudar. Se não ajudarmos o mundo, que seja, pelo menos, a nossa região – sugeriu João Carlos. – Podemos começar um movimento pela preservação, o que acham?

— Acho que, nesse momento, devemos parar para comer – afirmou Eduardo, observando o cansaço do amigo.

— Você está bem?

— Sim, estou apenas um pouco cansado – disse ele, fingindo um sorriso.

Eles pararam para almoçar assim que encontraram uma clareira. O silêncio era tamanho que dava para ouvir a música soprada pelos ventos nas montanhas e o barulho do movimento das folhas verdes nas copas silvestres. Os ipês saudavam os visitantes, espalhando pelo chão um vasto tapete de flores amarelas e vibrantes.

A boca de João Carlos estava seca e seu estômago se contraía dolorido. Andava havia apenas poucas horas e já desejava poder retirar tudo o que dissera dias antes da viagem, reconhecendo que os amigos tinham razão sobre a excursão. Ele já estava arrependido de ter forçado a barra para partirem naquela aventura.

"Não vou entrar em pânico", disse a si mesmo. "Vou tomar o remédio e já, já estarei bem", pensou.

Assim que se forçou a comer um pedaço do sanduíche de carne assada que lhe foi oferecido, JC sentiu-se enjoado e caminhou em direção a uma pedra, afastando-se um pouco do grupo. Vomitou o alimento misturado com sangue, para espanto de Isabela, que se aproximara sorrateiramente. Ela percebeu o estado em que se encontrava o irmão. Eduardo chegou rápido, acompanhado pelos demais e todos são tomados pelo terror. João Carlos já não se aguenta mais em pé, tomba para o vazio, batendo a cabeça na pedra que antes lhe servira de apoio. Maria Paula chegou rapidamente para socorrê-lo, tão assustada quanto os outros, gritou para voltarem e procurarem ajuda.

Eles tentavam sem sucesso ligar pelo celular e decidiram buscar socorro. O silêncio absoluto foi interrompido apenas pelos cantos dos pássaros e pelos passos rápidos de Eduardo e Ygor, desesperados, de volta à aldeia. De repente, a trilha maravilhosa se transformara. Deixara de ser um caminho encantado para se tornar o trajeto de um calvário. Uma distância aterrorizante entre o seguro e o nada. Eles sabiam que não podiam ter concordado com aquela loucura de JC. Um passeio longo e cansativo como aquele, num momento de tanta fragilidade, só poderia acabar daquele jeito. Corriam aflitos pelo chão repleto de folhas secas, que há pouco sugeria um tapete de flores, pedindo a Deus que chegassem logo à aldeia ou a algum lugar onde o telefone já funcionasse.

Assim que conseguiram se comunicar com Marisa, os jovens sentiram todas as suas energias se esvaírem, mas tiveram a confortante sensação de dever cumprido, pelo menos por enquanto.

Marisa, desesperada, primeiramente ligou para a doutora Cláudia, que imediatamente providenciou o resgate com o Corpo de Bombeiros e comunicou ao amigo do hospital da capital o ocorrido. Assim, Juarez tomou todas as providências para receber o jovem.

Em seus quatro anos liderando excursões por todas as ilhas da região, JC pudera cuidar de qualquer emergência que surgira em seu grupo. Sempre levava consigo analgésicos e bandagens. Mas não desta vez. Outrora, como líder, usava de sua experiência para administrar os imprevistos. Agora era diferente: ele era o imprevisto e necessitava de cuidados. Estava completamente sem condições de tomar qualquer atitude a seu favor.

A viagem de volta foi torturante. A princípio, carregado pelos amigos através das montanhas, numa padiola improvisada com os sacos de dormir para, depois, ser transportado de helicóptero ao Hospital do Câncer, no Centro do Rio de Janeiro.

— O socorro já está chegando... – anunciou Maria Paula, com suavidade e num tom esperançoso. A resposta de JC foi um forte gemido.

Isabela suspirou aliviada quando o helicóptero de resgate do Corpo de Bombeiros aterrissou. A seu lado, Maria Paula virou-se para olhar João Carlos e não precisou perguntar como ele se sentia. Seu rosto pálido e a boca contorcida de dor eram bastante eloquentes.

Ao vê-lo partir naquelas condições, em direção à emergência do hospital, as emoções que tentara conter durante todo o dia afloraram, formando um nó na sua garganta. Percebera o motivo que afastara os dois. Precisava fazer alguma coisa para provar ao lindo jovem que ele tinha motivos para lutar pela vida. Ela era um desses motivos, pois sentia o peito queimar e as pernas bambearem cada vez que o via. Percebia que provocava nele as mesmas emoções e para ela não importava quanto tempo teriam juntos. O futuro sempre foi uma incógnita para todo ser vivente e com eles não seria diferente. Não importava quanto tempo passariam juntos. Uma vida inteira era apenas uma vida inteira. Para alguns, isso significava um longo tempo e para outros, apenas uma sucinta passagem. Ninguém tem controle sobre isso. O importante é que podemos viver intensamente cada momento eternizando lembranças inesquecíveis. A vida não se acaba quando se é portador de uma enfermidade. Todo ser humano é transitório. Ela iria fazer alguma coisa. Estava decidida!

25

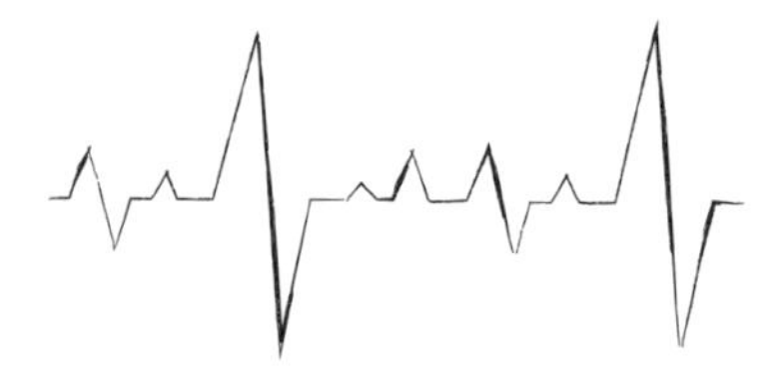

A Cirurgia

João Carlos estava inerte. Seu semblante parecia sereno, mas era traído pela respiração descompassada e irregular. Para complicar ainda mais o quadro, o médico precisava fazer exames de imagens na sua cabeça para determinar se a pancada sofrida durante a queda não havia causado algum tipo de lesão cerebral. Os olhos estão fechados e uma sombra inesperada acoberta o rosto jovem quase desfalecido. Depois de examiná-lo, doutor Juarez fechou a porta de seu consultório, tirou o telefone do gancho e pediu para falar com a sala de cirurgia:

— Sou eu, doutor Juarez. Recebi nosso novo paciente, João Carlos, em uma situação de urgência. Ele, como todo jovem, decidiu viver uma aventura sem pensar nas consequências. O fato é que estou fazendo o atendimento e tomando as providências para estabilizar o seu quadro, para que não comprometa nosso planejamento cirúrgico. De qualquer forma, gostaria que comunicasse o ocorrido à equipe, para que fiquem de sobreaviso, caso haja algum imprevisto – desligou com cuidado e balançou a cabeça, negativamente. Ao sair da sala, deparou-se com um antigo médico do hospital, que gentilmente o convidou para tomar uma bebida quente.

— Vamos tomar um café? – Perguntou o amigo.

— Não, não posso. – respondeu Juarez.

— O que você vai fazer?

— Estou atendendo um caso muito complicado. Essa cirurgia estava marcada para daqui a poucos dias, mas os fatos se anteciparam. Preciso manter o estado geral do paciente em boas condições.

— Que tipo de cirurgia?

— A patologia foi de adenocarcinoma e a proposta é gastrectomia.

— Estômago... Vi quando chegou. Parecia ser tão jovem... Espero que esteja em estágio inicial.

— Sim, é um jovem atleta; e sim, a doença está no início. É um caso atípico para a idade e ele não está nada bem.

Despediram-se com um aceno. Juarez adiantou-se para assistir João Carlos e posicionar seus familiares quanto ao seu estado.

***

Chegou finalmente o momento esperado da cirurgia. O jovem estava apto a se submeter ao procedimento cirúrgico e todos os exames preliminares sinalizavam isso. O médico vestiu seu uniforme verde-claro, adotou todos os procedimentos de esterilização e entrou no centro cirúrgico. A sala estava preparada e toda a equipe já se encontrava a postos, preparando João Carlos para o ato operatório. Equipamentos de última geração monitoravam o ritmo respiratório e o batimento cardíaco. O anestesista comunicou que o jovem já estava devidamente anestesiado, que as funções vitais estavam normais e que estava tudo OK. Juarez se certificou de que chegaram as bolsas de sangue que havia solicitado, caso fosse necessário fazer uma transfusão.

Iniciou-se a cirurgia, com o bisturi cortando a pele e alcançando a cavidade abdominal. Decidiu-se pela técnica D2, rotina do serviço de cirurgia para esses casos e muito utilizada pelos japoneses, que detêm esta expertise no tratamento cirúrgico do câncer gástrico.

O médico e a sua equipe sabiam o que podiam esperar em uma cirurgia tão delicada. Ela consiste na retirada da parte envolvida do estômago, total ou parcial, a depender do que encontrassem e do parecer do médico patologista, presente no centro cirúrgico.

A cirurgia já se estendia por cerca de cinco horas quando uma intercorrência surpreendeu a todos. João Carlos teve uma parada cardíaca. A equipe, devidamente treinada para lidar com casos de tamanha gravidade, adotou as providências necessárias para reanimar o rapaz. Precisa-se lutar contra o tempo, a fim de evitar qualquer sequela ou mesmo o óbito, como consequência dessa parada cardíaca. Além do mais, não havia motivos evidentes para aquele imprevisto, nem indícios de acidente anestésico ou algo similar que justificasse o que estava acontecendo. Os médicos se entreolham. Havia uma tensão imensa na sala causada pela possibilidade de se perder um paciente tão jovem. Finalmente conseguiram restabelecer os batimentos cardíacos e equilibrar as funções de JC. A princípio, tudo se solucionou em tempo seguro. Terminada a cirurgia, Juarez solicitou que encaminhassem seu paciente ao Centro de Tratamento Intensivo, onde seria acompanhado com a máxima segurança e atenção.

Essas primeiras horas pós-cirurgia são as mais delicadas e precisam ser monitoradas com rigor. O anestesista fez questão de ficar junto ao rapaz nesse período. Juarez sai do centro cirúrgico, retirou as luvas, a máscara, o gorro, agradeceu à equipe e foi preencher o prontuário. Após fazer o relato cirúrgico, seguiu para a sala de espera onde a família e os amigos aguardavam notícias. Depois de cumprir todas essas cansativas etapas do seu trabalho, o médico afastou-se com expressão cansada, não sem antes dizer-lhes que estaria em seu consultório, caso precisassem dele.

Depois da cirurgia, João Carlos, em estado crítico, foi conduzido ao CTI, onde seria monitorado e receberia, através de via venosa, os medicamentos prescritos. O paciente dormia serenamente; suas pálpebras pareciam cerradas, num sono tranquilo e profundo. Um pouco mais tarde, a enfermeira de plantão no setor telefonou para o consultório do doutro Juarez para transmitir-lhe as informações de praxe sobre o quadro do paciente. Comunicou-lhe que João Carlos ainda estava sob os efeitos do anestésico e permanecia dormindo. O médico perguntou como estavam seus sinais vitais, o que registravam os monitores e a sua temperatura. A enfermeira afirmou que permanecia tudo dentro da normalidade. Ele pediu para avisá-lo assim que o sono do rapaz se tornasse mais superficial. Iria visitá-lo e observar mais uma vez o seu quadro de saúde. Estava mais tranquilo, pois seu anestesista também se encontrava com o paciente. Iria deixá-lo sedado nessas primeiras horas, a fim de evitar a agitação natural após as cirurgias desse porte e as dores que certamente sentiria.

Era tarde da noite. Juarez já havia tomado as providências necessárias, indo, assim, para o quarto dos médicos relaxar um pouco e realizar uma retrospectiva da cirurgia, o que tinha por hábito fazer. Preferiu permanecer aquela noite no hospital e deixou ordens expressas de ser comunicado sobre qualquer alteração que porventura fosse observada, independentemente de suas proporções. Com o avançar das horas, o quadro até então estável, começou a se modificar. O sinal do osciloscópio principiou a tremular. De início, muito levemente, depois, o ponto que marcava o extremo da linha elevou-se consideravelmente, para descer de forma vertiginosa e voltar à posição horizontal. Ninguém testemunhou tal anomalia. O azar é assim. A enfermeira se aproximou dos aparelhos que monitoravam João Carlos um pouco mais tardiamente ao evento. Mediu a temperatura e a pressão do jovem, desenrolou alguns centímetros da tira de papel que pendia da máquina e viu o registro indicando uma anomalia. Franziu o cenho, revisando mais alguns centímetros. Ao constatar que permanecia uma linha reta, retirou o papel com toda a atenção. Pegou o telefone do corredor e chamou o médico.

— Doutor Juarez, temos uma mudança no quadro. Acredito que nosso paciente entrou em coma, com constantes aparentemente estáveis. Como quer que eu proceda?

— Já estou indo! – E desligou.

A sala de espera estava tão cheia que mais parecia uma festa. Os amigos da praia, parentes e até os vizinhos, todos vieram prestar solidariedade à família de João Carlos. Ao vê-los chegar, Marisa e Francisco esboçam um sorriso de agradecimento, mas anunciam que ainda não tinha uma posição sobre o estado de JC, apesar de a cirurgia haver terminado com aparente êxito. Isabela permanecia junto aos pais, tão abatida quanto eles.

— Tudo vai ficar bem, eu sinto. Não podemos perder nossa fé.

Maria do Socorro e seu marido Salvador preferiram ficar na ilha, tomando conta de Ricardinho e orando. Sabiam que a filha Marisa estava acompanhada do marido e de amigos e que eles poderiam ser ainda mais um motivo de preocupação.

Novamente a porta se abre e o médico entra, acompanhado por uma enfermeira.

— Doutor Juarez, como está o meu garoto? – perguntou Francisco, com semblante muito preocupado.

O médico explicou novamente todo o processo da cirurgia e tentou acalmar a todos com palavras firmes e positivas.

— Foi um procedimento delicado – explicou ele. – Houve a retirada de todos os linfonodos e a cirurgia foi considerada como curativa, ou seja, não foi deixado qualquer foco da doença no abdômen. Devido à complexidade e radicalidade cirúrgica, seu filho teve sangramento significativo, o que nos obrigou a uma reposição através de transfusão de sangue. Houve uma parada cardiorrespiratória, prontamente recuperada. Infelizmente, devido a esse evento, necessitamos esperar que ele acorde para ver se ficaram sequelas neurológicas. No momento, ele está sedado para maior segurança, com a finalidade de deixar o cérebro repousar para diminuir o edema. Aguardamos também os resultados finais da patologia, que poderão ajudar nos desdobramentos terapêuticos posteriores. Agora, seu filho está em coma e requer cuidados específicos. Essas primeiras horas são cruciais e requer o máximo de atenção, por tudo isso ele está no Centro de Tratamento Intensivo, sendo monitorado por um grupo altamente treinado.

— Ele tem chances de sobreviver, doutor? – perguntou Marisa, numa angústia de fazer dó até em um médico treinado e acostumado a ver o sofrimento alheio.

— O caso é grave, mas estamos fazendo tudo o que precisa ser feito, senhora. Ele é um rapaz jovem e forte, o que ajuda muito. Vamos aguardar as próximas horas. Por favor, tentem descansar um pouco. Ele vai precisar de vocês; é preciso que estejam bem.

— Podemos vê-lo, doutor?

— No momento não, pois o pessoal do CTI está em procedimento, peço que tenham paciência. Assim que for possível, mando chamá-los.

Marisa e Francisco desabaram os seus corpos pesados, lado a lado, sobre o sofá da sala de espera, rostos lavados de lágrimas. Os amigos os apoiavam e diante da notícia do coma, dão-se as mãos e fazem as suas preces pedindo a recuperação do rapaz.

26

Vivendo o coma

João Carlos não sabia bem ao certo o que havia acontecido na excursão. De repente, só se recordava do barulho da hélice do helicóptero e da preocupação dos amigos. Lembrou-se do rosto cheio de lágrimas de Maria Paula, falando alguma coisa para consolá-lo e nada mais.

"Ah! Maria Paula...", suspirou ele. Onde estaria? Lembrava-se, porém, dos momentos de expectativa após sua chegada ao hospital, que antecederam as decisões médicas de como tratá-lo para que estivesse apto a se submeter à cirurgia programada. Sentia calafrios só de recordar todo o clima de tensão que vivera.

Havia recobrado a consciência após um tempo já instalado no CTI, depois da operação. Não sabia quantificá-lo, mas isso não importava agora.

Estava vivo. Vivo! Experimentava, porém, sensações estranhas. Ouvia tudo o que falavam ao seu redor, mas não podia se mover nem se comunicar. Inicialmente, pensou que fosse o efeito da anestesia. Estava equivocado.

"O que está acontecendo comigo, meu Deus? Já se passaram horas e eu não consigo despertar. Continuo percebendo tudo, mas por que ninguém me ouve? Deus do céu será que morri?" Um medo terrível dominou-o naquele momento. Nos dias que se seguiram, tentou se comunicar com o médico e tranquilizar os pais. Sua mãe havia perguntado ao médico se o filho poderia ouvir o que falavam ao que ele respondera que não sabia. Porém, explicou que alguns estudos demonstravam que pessoas naquela situação percebiam sinais do exterior e, assim, seria conveniente terem cuidado com as palavras que pronunciassem perto dele. Orientou-os a falarem palavras encorajadoras e mostrarem como ele era amado e importante para todos.

Marisa, uma mulher sensível e amorosa, aproveitou um momento em que estava a sós com o filho e iniciou um monólogo muito comovente:

— Filho, meu amor. Você sabe que não sou uma mulher muito estudada e por esse motivo não sei bem como explicar certas coisas. Mas meu coração de mãe me diz que você está aqui. Que me ouve e sabe a dor que estou sentindo em vê-lo tão distante. Eu tenho fé, meu lindo menino, que você vai ficar bom. Tenho recebido muitas cartas e mensagens de apoio, mostrando como você é querido. Há uma cartinha perfumada, lacrada com um beijo de batom, que acho que você vai gostar de ouvir. Então filho, tente sair dessa escuridão e me ouça; vou ler a carta para você:

Meu menino dourado,

Agora entendo sua preocupação em tentar me afastar. Só um coração desprendido faria algo tão nobre... Você é mais especial do que eu imaginava. Abriu mão de ter o meu apoio, por um sentimento de intenso cuidado. Quero que saiba que nenhum outro garoto demonstrou tanto carinho por mim de forma tão pura e verdadeira e eu quero para ti tudo de melhor. Você me ensinou a apreciar a vida de maneira diferente e a ver beleza em tudo. Mostrou-me que o simples é, muitas vezes, o que se pode ter de melhor. Não sabemos o que o futuro nos reserva, mas temos uma vida inteira para perceber. Receba o meu beijo e a certeza de que não pouparei esforços para que você seja feliz.

A minha alma tem certeza de que em breve sentirei novamente o sabor dos seus beijos, sob o luar de Provetá.

Sua para sempre,
Maria Paula

Quando terminou de ler a cartinha, Marisa observou o cair de uma lágrima no canto do olho esquerdo de João Carlos e teve certeza de que o seu surfista voltaria à vida.

27

Viagens inusitadas

A semana transcorreu lentamente e o tempo parecia estagnado. João Carlos tentou tirar o celular da bolsa da mãe para falar com Maria Paula, mas não conseguiu.

Ele vivia suas esperanças, recolhido em suas lembranças e pensando em outros lugares. Uma noite, enquanto imaginava a vida que corria do outro lado da porta de seu quarto, pensava em como deveria ser o longo corredor, com enfermeiras carregando históricos clínicos, empurrando um carrinho; e seus colegas indo e vindo, de um quarto a outro. Aconteceu pela primeira vez algo muito estranho: sem mais nem menos, ele estava no meio do corredor.

"Nossa... o que é isso!? Minha imaginação está me pregando uma peça ou estou morto mesmo? Morto, não. Eu continuo aqui. Se tivesse morrido, estaria em outro lugar. Bem, acho... Nunca morri antes. Mas como pode ser isso, se vejo todos trabalhando ao redor"? Morrer, ele sabia que não havia morrido, pois se assim fosse, seu corpo não estaria inerte no leito, já o teriam enterrado. Ele ainda estava no hospital.

"Estou em coma e virei um fantasma, prisioneiro do meu corpo..." – percebeu de repente, olhando o movimento das enfermeiras abrindo armários, retirando compressas e voltando a fechá-los. Entrava no elevador e saía dele sem que ninguém o visse. As pessoas passavam ao seu lado sem sequer tentar se esquivar, totalmente alheias à sua presença. Logo se sentia cansado e regressava ao seu corpo. Durante os dias seguintes, aprendeu a percorrer o hospital. Aquilo, a princípio, pareceu-lhe loucura, mas depois, entregou-se à experiência e tentou vivê-la com certa tranquilidade.

"Deve haver um bom motivo para tudo isso estar acontecendo", pensou.

Decidiu visitar todas as alas para buscar compreender o significado de tudo aquilo. Viu o sofrimento estampado no rosto de vários pacientes, de todas as idades, com diferentes tipos de câncer. Viu cirurgias de remoção e muitas mortes na ala de doentes em estado terminal. Também acompanhou trajetórias de esperanças e angústias em famílias de crianças com o diagnóstico arrebatador da neoplasia maligna. Emocionou-se com alguns casos de cura e as lágrimas de agradecimento dos familiares e de toda a equipe médica.

"Nossa! Que barra que os caras enfrentam! Não deve ser fácil...".

As visitas aos outros setores o fizeram perceber a cumplicidade entre pacientes e profissionais, dividindo as sensações e fantasias despertadas com o tratamento, evidenciando o reencontro da solidariedade e fé, explorando as relações humanas diante do trágico.

Depois de uma semana exercitando-se, havia conseguido deixar o hospital. Pensou com intensidade e conseguiu chegar até a sacada do quarto de Maria Paula. Passara algumas horas lá, observando a menina deitada na cama, na mais completa tristeza. Ele não quis mais repetir essa experiência. Era muito penoso estar ao lado dela sem poder comunicar-se. Além do mais, sempre que retornava de suas jornadas espirituais, sentia-se esgotado, principalmente pela inexperiência e por toda a bagagem emocional que abrigavam. Estava vivendo na mais absoluta solidão, sendo doloroso não poder falar com ninguém e dizer que parassem de sofrer, porque ele estava bem.

Uma vez, ao retornar de uma dessas saídas, encontrou um homem dormindo na cama ao lado da sua. Aparentando ter cerca de 50 e poucos anos, o cabelo grisalho e ralo. João Carlos queria puxar assunto, mas, o homem também não podia ouvi-lo.

A rotina do hospital transcorria todos os dias da mesma forma, mas nem tudo era dor ou sofrimento naquele lugar. Constantemente, homens e mulheres, muitos fantasiados de palhaços, doavam um pouco de seu tempo e iam brincar com os pacientes da ala das crianças, que se divertiam muito. O riso corria livre e solto, em uma alegria contagiante, fazendo-os esquecer, por um precioso momento, de todas as suas dores.

Em meio a um desses "passeios ou transes", seja lá o nome que se queira dar, João Carlos ficou observando seu avô por um longo tempo, entretido, conversando com um funcionário do hospital.

— Sabe... Nunca pensei que poderia encontrar alegria neste lugar – diz o avô. – Nunca imaginei que pudesse ser assim... – fala, emocionado, ao ver as gargalhadas das crianças com as trapalhadas dos palhaços.

— Ninguém imagina – complementa o funcionário. – Estou há anos trabalhando como atendente neste hospital e digo que vale a pena. Meu dia a dia é reforçado pelas lições que aprendo, com as histórias de cada um desses pacientes. Aqui é uma escola preciosa. A cada dia descubro que não tenho problemas. – Ele aponta para os pacientes e continua: – Eles não perdem as esperanças e isso é maravilhoso.

A conversa é interrompida pelo barulho da lixeira sendo derrubada. Eles riem do auxiliar de enfermagem, que entra todo estabanado. Sorrindo, o atendente apresenta o colega como sendo o cara mais atrapalhado do hospital.

Salvador estende a mão, o cumprimenta amistosamente e explica que é o avô do paciente de Angra, em coma desde a cirurgia de remoção do tumor no estômago.

"Então, era isso mesmo... Estava em coma", pensou João Carlos, ouvindo a conversa.

— Atrapalhado, não... Apenas distraído – retruca o moço exibindo um largo sorriso. E por falar em atrapalhado, antes que me esqueça, aproveito para informar que a enfermeira responsável pela Ala B solicita a presença da família de JC no local.

Para completar, pergunta ao avô de JC:

— O rapaz entrou em coma por causa da cirurgia de estômago? – Perguntou intrigado, já que isso não era comum.

— Bem, eu não sei o motivo de o meu garoto ter entrado em coma, mas penso que deve ter sido por causa da forte pancada que recebeu na cabeça durante um passeio maluco.

— Ah, bom. Isso explica melhor o caso – afirmou o funcionário, com um sorriso.

Estão todos reunidos na Ala B e Marisa se apoia nos braços do pai, quase sem resistência. Estava sem forças para mais surpresas tristes e só conseguia pensar no pior. Sentiu falta do marido, que precisou voltar ao mar, mas desta vez por pouco tempo; passava pescando apenas algumas horas dos dias intercalados, pois estava se dividindo entre o trabalho e o hospital, para estar perto da mulher e do filho. Estava fazendo pescarias mais curtas, apenas para alimentar a família e pagar os custos básicos. Precisava estar por perto para qualquer eventualidade ou para o caso de seu filho, finalmente, sair da escuridão.

Já no corredor, seguindo o enfermeiro, depararam-se com o palhaço Topetudo que, batendo no coração três vezes, tirou do bolso uma rosa e entregou à Marisa.

— Muito obrigada – ela disse.

O palhaço Topetudo fez uma reverência e espalhou muitos beijos pelo ar. João Carlos já estava de volta ao seu quarto, quando todos chegaram. Estava ansioso para saber o que o médico ia dizer. O plantonista do dia é doutor Ernesto, um negro forte, de cabelos escuros, acompanhado pela psicóloga doutora Laura, com idade semelhante à do médico, pele branquinha e cabelos levemente ondulados, em sua ronda habitual em conjunto.

— Dona Marisa – disse o médico – sei que parece estranho, em função de seu filho ainda se encontrar em coma, mas há sinais de que o coma está entrando em um nível mais superficial e acreditamos que logo teremos boas novas. João Carlos, mesmo inconsciente, está se recuperando muito bem. Seu estado físico é muito bom.

Marisa e Salvador abrem um largo sorriso, as lágrimas caem pelo rosto da mãe. JC teve uma enorme vontade de abraçá-la.

O médico continuou:

— Além do mais, precisamos prepará-los, sob a orientação de nosso corpo técnico, para as próximas etapas. O progresso das pesquisas do tratamento do câncer foi espetacular nas últimas décadas. Esse tipo de câncer é complicado, tem um percentual de cura ainda baixo em relação a outros tipos, mas conseguimos sucesso na cirurgia e não ficou doença macroscópica, isto é, visível; e a patologia detectou que a doença de seu filho ainda está em estágio inicial e passível de cura. Estamos realmente confiantes na recuperação de João Carlos. Vai ser necessário tratamento adjuntivo, com quimio e radioterapia associada, mas isso só pode ser iniciado após seu filho ter alta hospitalar e sabermos das sequelas, caso existam. O critério de cura, para esse tipo de tumor, é medido em dados percentuais em cinco anos, porém, são necessárias etapas em seu tratamento, sendo que ele ainda está na primeira delas, a cirurgia. Enfim, vamos aguardar com serenidade os acontecimentos. Saibam que sempre poderão contar com a nossa equipe para apoiá-los. É importante, ainda, saber que a doença dele tem possibilidade de cura e que a maioria dos pacientes mantém uma boa qualidade de vida após as diversas etapas do tratamento. A senhora precisa ter fé, ele é um garoto forte e o doutor Juarez fez um trabalho espetacular.

— Doutor, o meu João Carlos vai levar uma vida normal?

– Tudo indica que sim, daqui a algum tempo. Só não pode negligenciar o tratamento e o controle, que deverá acompanhá-lo por um longo período. É preciso também seguir rigorosamente as orientações dos profissionais que estarão cuidando de João Carlos. – Continuou a explicação: — O câncer corresponde a um grupo de várias doenças que têm em comum a proliferação descontrolada de células anormais e que pode ocorrer em qualquer local do organismo. O melhor tratamento é o carinho da família e dos amigos, além de seguir todas as orientações médicas, é claro.

— Logo, logo, iremos para casa, meu bebê – afirmou a mãe, acariciando levemente os braços do filho.

— Vai sim, afirmou o médico. O câncer, quando diagnosticado no início, como já falei e insisto em reafirmar, o que é o caso do seu filho, tem muitas chances de cura. O tratamento realizado com sucesso possibilita ao paciente, em pouco tempo, voltar à sua vida normal.

Ernesto olhou para a psicóloga, até então calada, ouvindo a conversa, e continuou:

— Neste período, como a senhora deve saber, nossos pacientes são acompanhados por vários profissionais qualificados. Entre eles, nutricionistas e psicólogos, como Laura e Joaquim, que estão acompanhando o caso do seu filho desde o início. As equipes de enfermagem vão orientá-los sobre o tratamento depois da alta. Temos um grupo que se reúne às segundas-feiras para prestar toda a assistência necessária aos familiares dos portadores de neoplasia, ajudando-os a se adaptar às dificuldades que a doença traz. Sabemos que o impacto de um diagnóstico de câncer não atinge somente o enfermo. Na verdade toda a família adoece junto. O envolvimento prático e emocional das pessoas mais próximas na jornada do paciente afeta suas próprias vidas, às vezes de modo muito profundo, pois além das demandas consideradas normais, devem estar preparados para lidar com a depressão diária do paciente.

28

De volta à vida

João Carlos abriu os olhos, meio confuso, perguntando a si mesmo sobre o lugar desconhecido em que estava. Estaria, mais uma vez, tendo uma daquelas experiências estranhas? Não, desta vez estava em um quarto, deitado. Parecia ser diferente do leito anterior, mas ele não sabia bem ao certo. Tudo estava muito quieto. Um silêncio sombrio era quebrado apenas pelo barulho de uma gota insistente, que caía do condicionador de ar. Acordou com a impressão de ser, ele mesmo, uma usina hidrelétrica em pleno funcionamento, tamanha a quantidade de fios ligados ao seu corpo. De sua posição, podia ver toda a movimentação do hospital e a rapidez com que chegou a enfermeira, seguida pelo médico.

Imediatamente, começaram a examiná-lo e, finalmente, pôde ver o rosto querido de seus pais. Entubado, ainda não podia falar, mas fez sinal pedindo papel e caneta para se comunicar com a família.

— Filho! Meu filho querido! Você acordou! Graças ao bom Deus! Como se sente? – Perguntou Marisa, segurando as lágrimas.

Com dificuldade pela posição em que estava ele escreveu, em tom brincalhão: "Anotaram a placa do carro que me atropelou"?

Eles não conseguiram conter o riso. Reclinaram lentamente à cabeceira da cama, beijando-o na testa e acariciando a sua face.

Mais um papel: "Há quanto tempo estou aqui"?

— Doze dias, meu filho. Doze longos dias. Não se preocupe com isso, por enquanto. O importante é que você está melhorando e vai ficar curado – afirmou o pai.

— Em breve, já poderá receber a visita dos seus amigos, que estão todos aflitos, rezando pelo seu restabelecimento. Você conseguiu reunir quase toda a população de Angra na igreja local. Estão fazendo campanha de oração, diariamente, para que você volte recuperado. Gravaram vídeos com pedidos de oração, postaram na internet e conquistaram mais de dois milhões de acesso. – Francisco, ao lado do leito do filho, desembrulha o casaco de linha feito à mão pela avó; abre a cartinha carinhosa de Ricardinho e mostra a mochila com pilhas de correspondências que estavam chegando à casa deles todos os dias, vindas de um grande número pessoas. Muitas dessas pessoas, certamente, nem os conheciam, mas prestavam sua solidariedade e compartilhavam da mesma esperança.

Os dias em que a família passou em vigília foram momentos de configurar valores e redesenhar conceitos nas linhas do caderno de suas existências. Já não tinham mais tanta certeza das suas certezas e a vida de João Carlos naquele momento encontrava-se sob a luz da solidariedade atemporal e espontânea dos seus companheiros.

Dia a dia, João Carlos ficava mais forte e se preparava para as próximas etapas do tratamento. Buscava não pensar muito nisso e focava suas energias nos planos para o futuro.

Quando podia, ficava sentado, dedicando-se a estudar algumas apostilas para o vestibular. Na cama ao lado, Jonas podia compreender as suas angústias e conversava abertamente sobre seus medos; afinal, estavam à mercê "do balanço do mesmo barco", mas também sabiam que o homem fazia o seu próprio destino e, se quisesse, poderia tomar o leme da sua vida.

Estava pensativo, tentando relembrar o que sentia quando estava em coma, mas algumas coisas lhe vinham de forma muito confusa. De repente, lembrou-se. Havia sonhado bastante. Uma dúvida inexplicável veio-lhe à mente: será que foi mesmo sonho? Sentiu vontade de visitar as outras alas e refazer os caminhos que havia feito em seus "sonhos" ou "viagens", não sabia ao certo. Tinha curiosidade em saber se tinha tido alucinações ou se vivenciara tudo aquilo de verdade. Era tão real... Jamais esqueceria aquela sensação de se desprender da própria matéria e ir livremente para onde desejasse. Seria esse o aprendizado que todos deveríamos adquirir? Entender que somos mais que a própria matéria e que podemos ir além do limite do próprio corpo?

João Carlos sempre fora um jovem diferente em seus pensamentos. Tinha uma unidade com a natureza e um amor pelo próximo difícil de encontrar. Tudo isso o fazia ter um brilho próprio. Sempre pensara sobre a vida e a morte. Ou na verdadeira essência e na existência humana, mas nunca se aprofundara em questões mais filosóficas. Fazia-o tudo intuitivamente. Agora, estava diante desse grande mistério que vivera.

Quanto mais progredia no tratamento, mais podia caminhar, mesmo que bem lentamente. Saía mais amiúde para pequenos passeios. Foi observando, com certo deleite, que não eram sonhos. Tinha realmente vivido aquelas experiências e precisava usá-las para algum propósito maior, ao qual tinha a intuição de ter sido designado. Afinal, ninguém recebe esse dom, mesmo que por pouco tempo, a troco de nada. Deveria haver uma razão para justificar essa experiência diferente. Reencontrou a garotinha com leucemia linfoide, a senhora com câncer de mama, o menino com tumor cerebral, ou "meduloblastoma".

Também relembrou do movimento feito pelos Doutores da Alegria, das pessoas que viu falecer na ala dos pacientes em estado terminal... E daqueles que conseguiram vencer e recomeçar.

Enquanto esteve "viajando" pelo hospital, pôde observar atentamente o Jonas, portador de câncer de próstata, que agora reconhece ser o seu colega de quarto, internado sem o conhecimento da família. Numa tarde, ficou observando as suas lágrimas e, sem saber que estava sendo ouvido, sussurrava os seus lamentos, por ele próprio e pelo garoto jovem, inerte na cama ao seu lado. Falou da saudade que sentia dos filhos, dos seus medos, da angústia de estar sozinho, da viagem ao exterior que inventou para se afastar da família, em busca de tratamento. João Carlos acompanhava sem poder nada fazer. Prometeu a si mesmo que, quando tivesse oportunidade, iria ensinar ao companheiro a arte do surfe e sair em busca de sua família, para reuni-los outra vez. Quando voltou ao seu corpo, liberto da sua escuridão descobriu o endereço da família de Jonas, assim como suas origens e sua profissão, em uma das conversas que tiveram. Falaram também sobre seus planos para o futuro, onde JC buscou oferecer ao companheiro de quarto e de luta um pouco da esperança que conseguiu cultivar e manter viva por quase todo o tempo.

— Por que terminou o relacionamento com a sua garota? - perguntou Jonas, com curiosidade.

— Porque ela não merece alguém doente assim, como eu.

— E acha isso certo? Magoar alguém que gosta de você?

— Eu não quero que ela me veja doente. Não quero ninguém sentindo pena de mim. E por que ninguém vem visitá-lo? – questiona JC, querendo se aproximar um pouco mais do senhor e, assim, ajudá-lo.

— Porque cometi o engano de não contar à minha família sobre a minha doença. Todos pensam que fui transferido para uma base da empresa no Canadá. E antes que pergunte, pelo mesmo motivo que o seu.

— Por que não conta agora?

— Talvez seja tarde. Como já lhe disse, sou separado. Tenho três filhos, mas todos com as vidas organizadas. Não é justo ser um estorvo para eles.

— Por que não lhes dá a oportunidade de decidirem? Meu caso é diferente. Não quero que a Maria Paula veja os sintomas provocados pelos efeitos colaterais do tratamento, mas nunca me afastaria da minha família. O senhor está longe há muito tempo?

— Estou aqui há dois meses. O tratamento é o melhor possível. A equipe é excelente. Pelo menos agora tenho com quem conversar – disse, dando uma piscadela. – Quem sabe, um dia desses eu ligue para o meu filho?!

— O senhor já surfou alguma vez?

— Meu rapaz, faltou-me tempo e ondas – disse rindo.

João Carlos se levantou devagar, foi até a cama de Jonas, onde se sentou e disse:

— Vamos surfar juntos, assim que sairmos daqui.

— E me arriscar a morrer afogado?

— Que nada! Vai ver como é fácil. Depois, eu estarei lá para salvá-lo, se precisar – afirmou, rindo. E completou: "amigos são para essas coisas".

— Tá certo, meu rapaz! Mas então me prometa que vai pensar sobre a sua namorada. Não repita os mesmos erros cometidos por um velho cabeça-dura.

João Carlos acenou com um gesto afirmativo e voltou para a sua cama.

29

Solidariedade e esperança

Maria Paula está alucinada com os preparativos do evento. Depois de muito tempo sofrendo com a ausência de João Carlos, resolveu pôr um ponto final na barreira que o garoto impôs entre eles. Chegou à conclusão de que a felicidade não é acessível com um estalar de dedos. Ou você é doador, ou é receptor. E ela, neste momento, seria a grande doadora. Com o apoio da sua família, planejou fazer um evento para ajudar o hospital onde o ex-namorado estava em tratamento.

Ela tinha certeza de que JC imaginava que, com o fim das férias, já teria retornado a São Paulo, mas aconteceu o inverso: acabou convencendo os pais a deixá-la morar por um tempo com o avô e estudar em Angra dos Reis. Transferiu-se para a escola da cidade e, além dos amigos da praia, conheceu outros.

As sobrancelhas de Maria Paula ergueram-se com a graça peculiar da juventude. Ajudar JC estava se tornando uma odisseia pessoal e quase uma obsessão. Como se conhecia muito bem, Maria Paula percebia que tinha uma tendência a "forçar muito a barra" e correr demais, numa frequência que nem sempre podia ser acompanhada pelos demais.

Na quietude de seu quarto, conseguia recarregar as energias a cada noite e ficar pronta para a nova correria do dia seguinte. Precisava, porém, cuidar para não exigir mais comprometimento das pessoas do que elas pudessem ser capazes de dar. Até o seu pai não gostava muito da ideia de vê-la mudando toda a sua vida em função de um namorico de férias. Mas, mesmo assim, apoiou-a em tudo e usou bastante da sua influência como empresário para ajudá-la com a captação dos patrocínios. No final, acabou se tornando um apoio essencial, se comprometendo em completar o valor que faltasse, para não frustrar a dedicação da filha. Assim, pensava, prestaria um serviço para a melhoria da vida no município. A filha o levou a refletir que recebiam mais da sociedade do que doavam, e ela tinha razão. A equipe de funcionários do *marketing* da empresa de Arthur sabia que vincular a marca do Banco a esse tipo de ação beneficente elevava o nível de simpatia popular da empresa, agregando valores imensuráveis ao seu desenvolvimento mercadológico. Mas, neste momento, isso era o que menos importava para Arthur.

Seu pai havia crescido numa família religiosa, mas, em determinadas ocasiões, culpava Deus pelos males acometidos pela humanidade. Os anos não foram capazes de amenizar a dor que ele sentira pela morte da mãe. "Ela não merecia morrer daquela forma", dizia. "Foi uma mulher dedicada à família e temente ao Criador." Não entendia a sua morte e se fazia muitas perguntas sobre a miséria humana.

Deveria haver uma boa explicação para o envolvimento de Maria Paula justamente com um portador da mesma doença que tirou a vida de Amália. A menina tinha a mesma aparência frágil e delicada da avó, mas era forte e cheia de determinação, assim como a sua mãe. O câncer é um grande desafio, um obstáculo difícil de transpor, mas, com certeza, o amor e a solidariedade das pessoas são primordiais para ajudar no processo de cura. Tinha orgulho da filha, ao vê-la comandando os amigos e colaboradores do evento, distribuindo panfletos na praia, coordenando carros de sons com anúncios da festa, colando cartazes e faixas com a foto de João Carlos, com os dizeres: SHOW: "O SEGREDO DA VIDA É O AMOR" – próximo sábado, no palco municipal da praia do Aventureiro.

Esta seria uma etapa muito importante de amadurecimento para a vida da sua garotinha. A força que emanava do seu interior era a ferramenta principal para se alcançar o sucesso. Em sua opinião, ela possuía todas as qualidades de uma vencedora: sabia focar com determinação e incentivar aqueles que acreditavam na mesma causa.

As rádios da cidade anunciavam a todo o momento o grande evento e enviavam mensagens de solidariedade e conforto para a família de João Carlos. Para conter a angústia de não poder fazer nada para amenizar a dor do irmão, Isabela se uniu a Maria Paula e levou toda a família para participar da ação. Convocou, também, com a ajuda de Eduardo, os amigos a colaborarem para o sucesso do movimento.

A doutora Cláudia Amorim, que todo o tempo acompanhou o tratamento de JC e prestou solidariedade à família e amigos, sempre os recebendo e esclarecendo suas dúvidas, também se engajou no projeto da jovem. Viu aquela moça tão determinada e se lembrou da sua adolescência, quando não existiam barreiras impossíveis de serem transpostas. Aliás, ainda se sentia assim: sempre fora uma mulher otimista e decidida. Quando tinha um objetivo, nada a fazia declinar. Emocionou-se com a atitude da adolescente e com aquele movimento dos amigos, todos decididos a fazer a diferença no mundo. Pensou como era bom poder estar ali com eles, participando dessa ação humanitária. Fez panfletos informativos sobre a doença e as providências a serem tomadas, ajudou na distribuição de cartazes e também de camisetas, que conseguiu produzir com o patrocínio de colegas proprietários de hospitais particulares. Estava fazendo o que mais gostava. E sentia que ajudar ao próximo era a sua missão nesta vida.

A família de João Carlos não contou nada a ele sobre os feitos da "garotinha riquinha e aparentemente mimada", mas que, na verdade, mostrou ser uma pessoa muito especial, de rara beleza interior. Maria Paula passou a contar com o afeto de todos, inclusive de Maria do Socorro, a avó de João Carlos, que sempre se manteve reservada e receosa quanto à aproximação íntima de pessoas de mundos tão distintos. Tomou grande carinho pela menina, que conquistara definitivamente sua amizade e admiração, mesmo antes de serem apresentadas. Quando, enfim, conheceu a jovem, foi logo perguntando, sem nenhuma reserva:

— Então, você que é a Maria Paula? A menina que roubou o coração de meu neto?

Maria Paula deu um sorriso tímido e fez um sinal de negativo com a cabeça.

— A senhora está enganada. Se ele gostasse mesmo de mim, não teria me excluído da vida dele. Foi ele que arrancou meu coração e levou-o consigo, Deus sabe para onde, disse sorrindo com timidez.

— Vai entender esses jovens... – resmungou a velha senhora, meio sem saber o que dizer.

Naquela manhã ensolarada, Estela olhava a paisagem rochosa entre o verde intenso da floresta e o céu de um azul límpido, quase transparente, com a sensação agradável de que aquele verão seria um divisor de águas na vida da sua família. A filha resolvera ficar em Angra por um tempo e, para não atrasar os estudos de Matheus, matriculou-o também na escola local, permanecendo por ali um pouco mais também. Apenas Arthur retornou a São Paulo por causa do trabalho, mas voltava para Angra todos os fins de semana.

Uma grande paz interior tomou conta dela, que estendeu o corpo na cadeira de praia e espreguiçou-se gostosamente.

Em silêncio planejava o que faria diante do novo cenário familiar. Pensou em ficar em Angra até terminar o evento organizado pela filha. Depois, faria o mesmo que o marido: passaria a semana em casa e o final de semana viria ver os seus filhos, que por causa da escola ficariam sob os cuidados do senhor Olímpio e Lucrécia.

— O que está fazendo debaixo desse sol? – a voz de Arthur interrompeu o silêncio. – Já é quase meio-dia! Você vai acabar ficando vermelha como um pimentão.

— É tão tarde assim? – Estela virou a cabeça para fitar o marido.

Desenvolvera o hábito de sonhar de olhos abertos desde que retornara ao balneário. Bastava sentar-se e sua mente começava a viajar. Era impossível ser realista estando naquele lugar e deixar de lado as fantasias da adolescência. Uma mulher adulta como ela não deveria se entregar tão facilmente a devaneios é verdade, mas era quase impossível deixar de pensar nos acontecimentos dos últimos dias sem sentir uma profunda alegria. A paisagem de sonhos a fazia retornar em todos os verãos vividos ali e a relembrar os seus ideais românticos como qualquer mulher apaixonada.

— Olhe para você! – Arthur continuou, em tom de reprovação: – Está parecendo um camarão! Não aplicou nenhum protetor solar?

— Sim, claro que apliquei – Estela se defendeu. — É que a minha pele fica bronzeada com facilidade, porque tenho muita melanina.

— O quê?

— Melanina, é um pigmento, seu bobo.

— Eu sei o que é melanina. Está tentando arrumar uma desculpa para justificar sua displicência? Pretende ficar com câncer de pele, ou o quê? Amor, por que não faz algo mais simpático e menos perigoso, meu coração? Podia, por exemplo, me dar um longo beijo e, depois, preparar-se para almoçar com o seu eterno namorado a caminho da praia Vermelha. Podemos aproveitar para dar um mergulho igualzinho aos que fazíamos quando nos conhecemos. Que tal?

— Maravilhosa, a sua ideia! – Estela concordou com um sorriso sedutor, relembrando seus incríveis momentos de juventude ao lado do seu amor. Dessa forma, caminhou obediente em sua direção, dando-lhe o beijo sugerido, e seguiu para a casa em busca dos seus apetrechos. Na volta, trouxe um suco de laranja geladinho para ambos. Arthur agradeceu, todo carinhoso.

A ideia de bebida gelada neste momento era bem diferente do suco trazido pela esposa, mas não contestou. Uma cerveja gelada combinava muito mais com a temperatura, que, a essa hora do dia, passava dos trinta e quatro graus. O calor que descia dos céus era extremamente sufocante. Se continuasse desse jeito, estariam todos "assados".

Com um sugestivo suspiro, Arthur pensou em como era bom voltar ao lugar onde passara boa parte das férias ao longo de sua vida. Gostava do modo descomplicado de viver daquela gente. Sempre sentira saudades daquela aldeia. E de outras coisas também, pensou, lembrando-se dos momentos de intimidade que tivera com Estela nos mais belos cenários da ilha. Foi em um desses passeios, sob o luar de Provetá, que Arthur entendeu o significado dos seus sentimentos e decidiu pedir Estela em casamento para construir com ela a linda família que possuíam. Mesmo com o passar dos anos, não se arrependera nem por um instante de ter se casado com ela. Muito pelo contrário: nem se imaginava vivendo ao lado de outra pessoa.

Sua mulher tinha uma maneira especial de falar e de conduzir a vida. Conseguia transformar com sabedoria os piores problemas em coisas simples e claras. Ela era o seu amor, seu porto seguro, seu tudo.

— Vamos, ande logo! Não podemos voltar muito tarde. Precisamos estar descansados para o *show* de hoje à noite. Temos de prestigiar a nossa menina – disse Arthur. E eles partiram em direção ao ancoradouro.

30

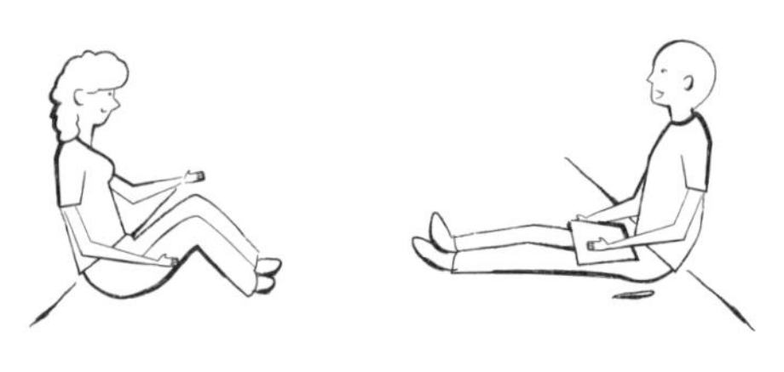

A Voluntária

Os dias passavam vagarosamente para João Carlos. Sentia a falta do irmão, o acompanhando a todos os lugares, como se fosse a sua sombra. Sentia falta da mãe ralhando com ele sobre os estudos. Da irmã lendo suas apostilas até tarde e incomodando-o com a luz acesa. Sentia até mesmo falta das pequenas broncas que recebia do avô. Ansiava por se deitar no colo da avó e receber a massagem nos pés, que só ela sabia fazer. Lembrava-se da fisionomia cansada do pai, ao voltar do mar, mas com um sorriso provedor de "dever cumprido". Sentado em um banco no corredor do hospital, pensava na sua vida. Naquele dia, estava um pouco cabisbaixo, tomado pela saudade de tudo e todos que amava. Resolveu escrever algumas linhas, que achava ser uma música. Nunca se arriscara em escrever nada, mas pensava que se ficasse boa, os amigos músicos de Angra poderiam colocar melodia e quem sabe gravar.

Iniciou os rabiscos assim:

"Vivo entre lembranças aquecidas, de traços suaves,
coloridas, de uma história que ainda não chegou ao fim.
Lembrando-me do teu rosto entristecido,
partindo, como pétalas murchas, soltas,
a bailar no compasso do vento.
A saudade traz à minha memória
as lembranças dos momentos que passamos juntos,
induzindo-me a embarcar numa viagem dolorida,
a camuflar o sentimento,
que teima arder em meu peito,
como uma flecha inflamada.

De repente o meu mundo desabou.
A insegurança e o medo do futuro tomaram conta de mim.
Estou tentando sair desta louca armadilha do destino.
Quis fugir pra longe...
Mas, para onde fui o seu olhar me acompanhou.
Quero revelar essa paixão.
O descompasso desse coração amargurado, intimidado...
Quero revê-la outra vez,
nem que seja apenas mais uma vez.

Só posso pedir perdão...
Não sei lidar com esta situação.
No momento vivo em meio a um furacão.
A minha dor ofusca a minha visão.

Só posso pedir perdão...
A minha alma chora pela minha insensatez.
Sem você sou um homem sem lucidez.
Minha flor, minha amada,
minha pequena namorada.
Alegra a minha vida outra vez.

Ainda sinto o seu riso fácil e a sua alegria.
Minha menina serena, o meu desejo de magia.
Meu primeiro amor...
Peço apenas que reflita com clareza,
sou um cara que vive de incerteza,
Mas com esperança e muita fé.

No silêncio da noite,
minha alma se atormenta de saudade.
Meu tesouro ajuda-me a respirar.
Perdi o rumo da minha vida.
Não sei pra onde ir.
Parece que vou explodir.

Não consigo reprimir a minha emoção.
São lembranças que me atormentam o coração.
Sinto que o seu lugar é ao meu lado...
Não desista de mim, meu amor,
faz o meu pranto ceder.

Minha paixão, meu bem querer!

Estava tão envolvido nos seus pensamentos que nem percebeu quando ao seu lado, sentou-se uma linda moça, de pele clara e cabelos louros, com um olhar afetuoso.

— Tudo bem com você? Parece-me um pouco desanimado...

— É verdade. Acho que estou com saudades do meu pessoal. Sabe, tenho recebido uma centena de cartas com mensagens de apoio, mas meus amigos estão longe e sinto falta deles.

— Eu entendo. Faz muita diferença quando sentimos o calor das pessoas. Mas como você mesmo falou esse não é o seu problema, já que há uma centena de cartas... – parou de falar e sorriu.

— Acha que exagerei? É, não posso reclamar. Sofro ao ver alguns aqui sem ao menos um ombro para repousar a cabeça. É muito triste.

— Talvez seja um sofrimento maior que a própria doença – falou a moça, com pesar. – Qual é o seu nome?

— João Carlos, mas pode me chamar de JC. E o seu?

— Ana Maria, mas pode me chamar de Ana Maria – e caiu na risada. – Qual é o seu diagnóstico? Se não se incomodar em falar, é claro.

— Câncer de estômago. Acabei de fazer uma cirurgia de remoção do tumor.

— Tudo vai ficar bem, você vai ver. É preciso ter paciência e nunca perder a fé.

— Eu sei. Não me afastei de minha fé nem por um minuto. E você, por que está aqui?

— Eu fui portadora de câncer de mama. Busquei tratamento neste hospital. Estou curada e, graças ao bom Deus, à equipe do hospital e às pessoas que me amam, consegui retomar a minha vida. Não posso também deixar de me valorizar e dizer que lutei muito, sempre com uma visão positiva e acreditando na minha recuperação. Sabe, eu até já fiz uma cirurgia plástica reconstrutora e estou muito feliz com o resultado.

— Fico feliz por você. Sei que as mulheres ficam muito preocupadas com isso.

— É verdade, mas hoje eu sei que não é preciso tanta preocupação. A cirurgia plástica está muito avançada e eu tive a sorte de ser assistida pelo doutor Ricardo Cavalcante, um cirurgião plástico maravilhoso do Rio de Janeiro. Por todas essas graças que tive, decidi fazer algo pelos outros que também estão sofrendo com o câncer. Tornei-me uma voluntária. Venho aqui uma vez por semana para contar histórias na ala das crianças.

— Que trabalho legal!

— Quem passa pelas portas de entrada deste hospital, seja como paciente, como profissional ou voluntário, tem a vida transformada. Pense nisso e no que vai fazer com a sua, tá? Agora, mais do que nunca, você já conhece alguns mistérios. Eu sinto isso. Não deixe que o significado deles se perca – levantou-se apressada e continuou: — Preciso ir, está na minha hora. Foi um prazer conhecê-lo, JC.

João Carlos ficou pensativo sobre a conversa, enquanto Ana Maria desaparecia no fim do corredor. O jovem seguiu em direção à sala de recreação infantil para ver como trabalham os voluntários. As últimas palavras da moça ainda ecoavam em sua mente. Ao chegar, logo foi abordado por um menino pequenino, com um papel todo rabiscado na mão, chamando-o para colorir.

— Venha, você está atrasado... A brincadeira já começou. Faça um desenho para mim, bem bonito, que vou colocar na parede de recordações – disse o pequeno, como se já o esperasse.

João Carlos iniciou sua tarefa, sob o olhar atento do garoto. Outras crianças também desenhavam e liam livros. Quando

JC terminou, entregou o desenho ao menino, que o olhava bem dentro de seus olhos e deu um sorriso de aprovação.

— Está lindo! Vai ficar no mural, ao lado da minha melhor amiga.

Ao ver a foto de Ana Maria, João Carlos ficou curioso e perguntou:

— Ah! Você conhece a Ana Maria? Ela vem muito aqui brincar com você?

— Costumamos brincar muito, toda semana ela vem nos visitar. Ela passou por aqui há pouco tempo e me disse que, com certeza, um rapaz bonito, com um sorriso transparente e bom, viria até aqui nos visitar. Pediu para que o recebêssemos com carinho, porque ele era alguém grande. Eu não entendi bem o que é isso, mas sei que é coisa boa – falou confiante nas próprias palavras.

JC ficou surpreso. Como ela, Ana Maria, tinha tanta certeza do que iria acontecer?

Ele para, um pouco atordoado, depois de se lembrar das coisas estranhas pelas quais estava passando. Mais uma vez se lembrou das palavras de Ana Maria. Retornou ao seu leito devagar, recompondo-se do ocorrido e tentando entender o significado de tudo aquilo.

João Carlos estava cada dia mais forte e aprendendo bastante sobre aquele lugar, que a cada momento lhe trazia uma nova experiência de vida. Agora, mais do que nunca, dava valor a tudo o que tinha. Pensava em como desejava voltar para casa, pisar no chão da sua ilha, mergulhar nas águas cristalinas, ver os amigos, abraçar sua família e beijar Maria Paula. Fechava os olhos e redesenhava em pensamento o rosto meigo da menina e sua bela silhueta. Movimentava entre os dedos a cartinha perfumada que havia recebido enquanto dormia e que a sua mãe fizera questão de ler. Aonde quer que ele fosse, levava o papel gasto pelo tanto de vezes que o lera. As palavras escritas tão carinhosamente o haviam levado a rabiscar a letra da música em sua homenagem. Não tinha tanta habilidade com as palavras, mas o que importava era tentar. Como dizia o seu sábio avô, "para obter algo que você nunca teve na vida, precisa fazer algo que nunca fez". Recordava saudoso, os momentos que passaram sentados à janela da cabana, a admirar o momento em que o sol deitava no mar espalhando os seus raios brilhantes. Sentia falta de acolher no ombro a cabeça da ex-namorada e escutar o suave pulsar do seu coração.

"Em breve, voltarei para casa", falou para si mesmo, bem baixinho. "Será que ela ainda está em Angra"? "Será que vai aceitar ser minha namorada outra vez, mesmo que a nossa comunicação seja pela internet"?

31

Revelações

Numa quinta-feira, vieram visitá-lo: sua família e Estela, a mãe de Maria Paula, para sua grande surpresa. Ela chegou trazendo um vaso de orquídeas, envolvidas em papéis transparentes e coloridos e, antes que o garoto perguntasse, apressou-se em dizer o porquê da sua visita.

— Oi, João Carlos. A Maria Paula está chegando para visitá-lo. Vim na frente porque preciso falar com você.

— Pode falar Dona Estela.

Ela começou a relatar o sofrimento da filha. Falou sobre como ele havia transformado sua menininha. Contou-lhe que Maria Paula era uma jovem boa, mas que vivia em um mundo diferente, sempre preservada de coisas ruins que poderiam lhe acontecer. E também como eles, os seus pais, sempre tiveram com ela uma atitude protetora. Disse a JC que ela e Arthur não sabiam se eles criavam os seus filhos da forma correta, mas os amavam e queriam sempre o melhor para eles. Afirmou em poucas palavras, que viu, em pouco tempo, o amadurecimento de sua filha e a sua transformação em uma jovem aguerrida.

— Sou franca em dizer que até então não havíamos percebidos que os filhos crescem e que não podemos protegê-los para sempre. Ultimamente, vivemos um turbilhão de acontecimentos tristes e dolorosos. Porém, eu e Arthur decidimos apoiá-la no que for preciso. Se vocês quiserem continuar se vendo, terão a nossa bênção. Quero que saiba que a prioridade da nossa família é viver feliz e em paz.

João Carlos ouvia com atenção e respeito. Não disfarçou nem um pouco que estava gostando do rumo que aquela conversa tomara. Em alguns momentos ficou um pouco apreensivo, mas a voz melodiosa de Estela lhe trouxera um doce conforto. Ela continuou falando sobre o que sua filha vinha fazendo; que havia se mudado e transferido os estudos para Angra para poder estar perto dele. De repente, com um olhar cheio de orgulho e amor, falou sobre o evento que sua filha havia planejado e estava organizando com o objetivo de arrecadar fundos e doar ao hospital, divulgando a importância da participação de toda a sociedade na recuperação daqueles que se encontram em tratamento. Estela contou, ainda, que ela e seu marido, que já haviam sofrido uma perda para o câncer, também estavam colaborando para o sucesso da festa e que a sua empresa faria uma doação significativa em prol da causa.

Quando terminou o seu relato, as lágrimas rolavam sem nenhuma timidez pela face do jovem João Carlos.

— Tenho muito orgulho da minha filha – afirmou Estela.

— Eu também – falou soluçando baixinho, JC. — Maria Paula é muito especial. E continuou: — Dona Estela, não queria que ela me visse assim...

— Deixe de bobagem, meu filho. Duvido que alguém consiga impedi-la de entrar neste hospital e novamente em sua vida, de onde, quero que saiba, penso que nunca saiu de verdade.

Ele sorriu e fixou o olhar no comercial da TV, que falava sobre um *show* em benefício dos portadores de câncer. Por motivos óbvios, o comercial chamou a sua atenção. Só poderia ser o mesmo *show* de Maria Paula.

> *"A praia do Aventureiro será palco, no sábado (1º), de um grande evento em prol dos portadores de câncer, evento que reunirá grandes nomes da música brasileira. O show será comandado pelas bandas regionais, dando início à campanha "O Segredo da Vida é o Amor" comandada pela jovem Maria Paula Casagrande de Menezes. Ao longo da noite, receberemos convidados mais do que especiais. A abertura do evento fica por conta do DJ Bolha. A festa terá início às 19h30. A passagem de barco até a ilha é o ingresso para o evento. Reserve já e receba o seu abadá"!*

No hospital, antes de se dirigir à ala onde JC se encontrava, Maria Paula parou para se observar num espelho. Havia tomado alguns cuidados em relação à aparência, para tentar impressioná-lo. Vestiu uma blusa verde-água e sentiu de imediato o resultado: os cabelos foram realçados pela cor e agora caíam em cascatas nos seus ombros, emoldurando o seu rosto com extrema suavidade.

João Carlos, emocionado, fechou os olhos quando Maria Paula chegou acompanhada por seus amigos.

Marisa parecia tentar conter o estouro de uma grande boiada.

— Calma, meus queridos... Calma! Há outros doentes que precisam de tranquilidade. Por favor, tenham calma.

— Posso entrar? – Perguntou Maria Paula, com voz doce, em tom bem baixinho.

— Claro que pode!

— E aí? – Pergunta um amigo.

— Tá melhor? – Bombardeia outro.

— Tá se sentindo bem? – Pressiona outro sem nem esperar a resposta das primeiras perguntas.

— Qual é? Vamos surfar quando? – Já sugere outro.

— Pronto para outra? – Brinca Eduardo.

As perguntas vinham de todos os lados e ao mesmo tempo.

— Calma! Uma pergunta de cada vez! Vamos dizer que não estou ainda em condição de surfar, mas logo poderei ficar de longe, olhando – falou, olhando na direção de Eduardo.

Os amigos cochicharam entre si, aproximaram-se do leito e imitando a voz de João Carlos e cantaram em coro.

— MP, estou tão arrependido de ter magoado você. Pode me perdoar e dar-me uma segunda chance?

Maria Paula ficou um pouco envergonhada e João Carlos queria que o chão se abrisse diante dele para se esconder. Todos riram e, depois de muita conversa, resolveram deixar o casal a sós. Maria Paula não estava mais com aquele jeitinho de menina; ao contrário, parecia uma mulher: determinada e segura de suas escolhas.

— Eu nunca desisti de você, sabia? – Perguntou Maria Paula.

— Não sabia, não. Pensei que já tivesse voltado para São Paulo.

— Muda a senha, garoto, sou uma Menezes e, como diz um ditado popular, eu sou "dura na queda". Quando o colocamos no helicóptero em direção ao hospital, descobri o motivo do nosso rompimento e percebi o quanto você é importante para mim. E vou logo avisando: vou ficar ao seu lado e você não tem mais argumentos para me manter afastada. Não sabemos se o que temos vai durar, mas quero viver todos os projetos que estiverem desenhados no meu destino, minuciosamente. Eu só quero me arrepender daquilo que não viver.

— Você não sabe como é bom ouvir tudo isso! Você é muito importante na minha vida. Foram momentos muito dolorosos esses que passei aqui neste hospital. Não apenas pela doença, mas também pela saudade que senti de você. Eu não soube administrar as coisas e quase estraguei tudo. Pode me perdoar? – E entregou-lhe o papel com a música que escrevera.

— Ué, pensei que ia novamente sair pela direita...

— Oh, oh... Saída pela direita, ocupada, – brincou ele.

Depois de ler os versos, ela disse emocionada:

— JC, meu amor, não há o que perdoar. Estávamos iniciando algo novo em nossas vidas e fomos pegos de surpresa. Não sabíamos bem como deveríamos agir, mas tudo isso passou. Estamos juntos novamente e é isso o que importa – ela beijou carinhosamente a testa do rapaz.

— Eu não confiei que as pessoas, inclusive você, pudessem me ajudar a enfrentar esta etapa difícil da minha vida. Também não achei justo fazê-los passar por tudo isso comigo. Desculpe-me.

— Se você não estivesse tão frágil, iria partir para a ignorância e te quebrar todinho... – disse ela.

— Já estou todo quebrado – brincou. — Que tal mudar o rumo dessa prosa e providenciar o meu conserto?

— É para já! Tenho muitos beijinhos altamente terapêuticos. É preciso espalhar pelos lugares mais doloridos, disse indicando o coração e os curativos. — Esse conserto vai lhe custar muito caro, viu?!

— Mas foi exatamente nisso que pensei! Beijos, muitos beijos.

Estela, que estava conversando com o diretor do hospital, retornou ao quarto em busca da filha. Todos se despediram de João Carlos que, novamente, mergulhou nos seus sentimentos. Tinha sido o tempo mais difícil de toda a sua vida.

Jonas, deitado na cama ao lado, agradeceu a Deus pelo curso que a vida de JC estava seguindo e se emocionou com a felicidade do garoto. Pensou em como fora bom ter visto todos os seus amigos por lá. Rira para si mesmo, ao lembrar a expressão daqueles dois que, de tão apaixonados, nem perceberam sua presença ali ao lado, sentindo-se livres para brincarem sobre os poderes curativos do beijo. Pensou em como seria bom se também pudesse receber o carinho dos seus. Mas como? Fora um tolo em achar que era capaz de enfrentar tudo aquilo sozinho. E agora, o que podia fazer? Iria chamá-los e surpreendê-los com a doença já em estágio avançado? Mas se não o fizesse agora, quando o faria? E se não conseguisse ter a recuperação esperada e não pudesse beijá-los outra vez? E se não houvesse chance de se despedir? Suas dores não seriam maiores? Será que entenderiam? E se... E se..? Estava agora cheio de dúvidas. Todas as suas certezas o haviam abandonado. Será que aquele garoto ali ao lado, lutando pela vida, tinha noção do quanto estava mexendo com a sua vida? Será que, na sua juventude iluminada, João Carlos teria a dimensão de como o fez mudar? Jonas estava tão absorvido por seus pensamentos que nem percebeu a chegada vagarosa de três pessoas, que foram tranquilamente se aproximando de sua cama. As alegrias daquele dia estavam apenas começando. Com o olhar evasivo, perdido nas lembranças, nem percebeu a chegada dos seus três filhos. Quando, enfim, deu-se conta do que acontecia, sentiu como se retirasse toneladas de um peso invisível dos seus ombros. Abraçados ao pai, todos ficaram em um profundo silêncio. Sentiram a plenitude daquele encontro, de ser novamente uma família. Agradecido, Jonas olha para o jovem ao lado, mudo pela emoção. Ele sabia que só podia ter sido JC quem o ajudara, através dos seus amigos e conseguira avisar as suas "crianças". Gostaria de um dia poder retribuir tudo aquilo que JC lhe estava oferecendo. Bem que achou estranho ele pedir o número do telefone do seu filho. Disse que quando saísse iria procurá-lo para se conhecerem, nem desconfiou de que ele poderia fazer aquilo.

Olhando pela vidraça, Paulo Sabão observa a cena dentro do quarto do garoto de Angra. Caracterizado de palhaço ele se tornava um doutor da alegria e, terminando de colocar uma bola vermelha na ponta do nariz, pensava em voz alta:

— Aqui, eu não preciso mais visitar. Quando a família se mostra disposta a encarar o problema e se faz presente. Quando os amigos cumprem o papel de verdadeiros amigos e o paciente reconhece a doença, decidindo lutar, seguindo todos os conselhos do médico, os primeiros passos são dados em direção à cura. A história desse jovem ainda não terminou. – E continuou sua reflexão em alta voz, para qualquer um que a quisesse ouvir: – Daqui para a frente, ele será o maior responsável por construir as palavras com sua própria escrita. Dessas palavras nascerão parágrafos e depois capítulos. Por fim, o livro de sua vida estará escrito. Ele mesmo será o grande autor dessa linda biografia.

Um sorriso oblíquo formou-se no canto de sua boca, bem desenhada pela maquiagem. Ele se levantou e caminhou alegremente pelo corredor.

— Agora, vou à procura de novos desafios. – falou num gesto exagerado de agradecimento a um público imaginário – Não esqueçam senhoras e senhores, que cada um é responsável por redigir sua própria história. Tira um lápis do bolso e sorri, fazendo careta para a sua sombra na parede, para solenemente afirmar: – Paulo Sabão só empresta o lápis... O resto é com você!

E seguiu pelo hospital, brincando alegremente com os pacientes...

32

Final feliz

Chegou o dia tão esperado do evento. No palco central, antes do *show*, os músicos passavam o som e diversos profissionais davam os últimos retoques na arrumação. A decoração do evento fora feita com carinho e muito bom gosto. Não faltaram, desde as pequenas bolas de luz rompendo o céu de vez em quando, balões coloridos, até bandeiras de cores cintilantes. Maria Paula e os amigos de João Carlos receberam os primeiros convidados da noite. E uma surpresa muito agradável foi a presença da amiga Bárbara, que havia retornado a São Paulo por causa das aulas.

Uma embarcação, cedida pela Capitania dos Portos de Itacuruçá para conduzir os participantes, estava quase cheia. Maria Paula, radiante, recebia as notícias pelo celular. O evento já era um sucesso. Nervosa, olhava de um lado para o outro, sem parar no mesmo lugar, preocupada pelo atraso dos pais.

— Vô, onde estão os meus pais? – perguntou para Olímpio, que já estava ao seu lado desde cedo.

— Fique calma, filhinha... Eles já estão chegando. Sabe como a sua mãe demora em se arrumar.

— Estou uma “pilha”.

— Calma. Já deu tudo certo.

Bárbara disse toda animada:

— Amiga, o pessoal da TV já chegou para a cobertura do evento. Vamos lá recebê-los.

— Vamos! Está tudo sob controle?

— Sim, amiga. A festa está linda... E não para de chegar gente.

O locutor contratado para apresentar o evento subiu ao palco e deu início à grande solenidade. Depois de agradecer a presença de todos, reverenciar os amigos de João Carlos e os patrocinadores elogiou a iniciativa e a dedicação de Maria Paula, fazendo um relato emocionado dos motivos que impulsionaram a garota a realizar aquele evento. O locutor enalteceu Arthur e Estela pela ajuda prestada à filha na realização de toda a ação, pela verba que doaram para o evento e ao Hospital do Câncer onde João Carlos estava internado.

Chamou a atenção dos ouvintes a compreensão do casal ao aceitar que a filha permanecesse ao lado do namorado. Muitos pais não teriam o mesmo entendimento da situação, visto que muitos namoros juvenis são envolvimentos passageiros, descompromissados. Mas a família Menezes percebera a pureza dos sentimentos dos envolvidos. Eles apoiavam com grande alegria a generosidade da filha, pois a ensinaram desde cedo que a solidariedade e a caridade transcendem a própria existência. Ampararam-na com atitudes de perseverança e, muitas vezes, com o próprio silêncio, angustiados quando ouviam o seu soluçar, frustrada e decepcionada com a sua primeira experiência com o sexo oposto.

Continuaram os agradecimentos, agora direcionados aos artistas, pelas participações no projeto, por agregarem as suas imagens como um forte elemento para a arrecadação de fundos, objetivo direto desse movimento, a fim de fortalecê-lo ainda mais.

Atendendo ao convite do apresentador, Maria Paula subiu ao palco e agradeceu o apoio dos pais, do avô Olímpio, do irmão Matheus, da amiga Bárbara, de Lucrécia, Isabela, de toda a família e amigos de João Carlos que, nesse instante, estavam diante do palco, numa corrente de amor e energia, emanando vibrações positivas e dando um brilho super especial ao evento-campanha.

O apresentador da TV que fazia a cobertura transmitia cada detalhe da noite.

— Boa noite, pessoal, obrigado pela presença de todos vocês. Estamos agora com a mentora deste projeto, a jovem Maria Paula, que nos dirigirá algumas palavras.

Maria Paula, emocionada, falou como se estivesse a sós com JC. Olhou diretamente para o foco da câmera, para que ele pudesse assistir do seu quarto no hospital, a tudo o que estava acontecendo.

— JC, sei que está me assistindo agora. Quero que saiba que o projeto "O SEGREDO DA VIDA É O AMOR" inicia, hoje, um trabalho social para arrecadar fundos em favor de hospitais especializados em tratamento do câncer infantojuvenil. Sofri muito quando soube que você era portador desse mal e que, segundo pesquisas, hoje é uma das doenças que mais tira a vida das pessoas em nosso país e no mundo. Quando você deu por terminado o nosso tão recente namoro, presenciei o seu sofrimento, o seu medo e a sua vergonha, pelas marcas externas que o tratamento deixaria em você. Entendi que, assim como você, muitos portadores de neoplasia precisam de uma segunda chance. Querido, nós, sua família, seus amigos e eu, estamos lutando para que você sobreviva, não apenas a estas, mais a muitas outras férias ao longo da sua vida – dizendo isso, ela fecha os olhos e joga um beijo para a câmera, mantendo-os cerrados em total introspecção.

Permaneceu assim por alguns segundos e seu silêncio ocupou o lugar. Era como se todos comungassem do mesmo sentimento em uma velada oração. O silêncio rompeu-se de repente. Foi rasgado por gritos de alegria e aplausos. Maria Paula abriu os olhos, sem acreditar no que via. Foi surpreendida pela entrada de JC no palco, conduzido em uma cadeira de rodas. Levantando-se com certa dificuldade, ele foi amparado pela namorada. A jovem o abraçou. Um abraço profundo... Externando sentimentos de carinho, desabando num choro pleno e liberto. Um choro que esteve por muito tempo sufocado. Ficaram abraçados por alguns instantes e ele se dirigiu ao microfone:

— Amigos, vocês podem achar meio louco estar numa cadeira de rodas, em tratamento de uma doença tão séria e afirmar o que vou dizer agora. Podem não acreditar, mas estas foram as férias mais importantes de minha vida. Está sendo doloroso, sofrido, mas aprendi, durante esse período, o que não consegui aprender em anos. Esta história gerou transformações na vida de muitas pessoas. Minha família foi tomada por sentimentos de impotência e pelo medo da morte. Confesso que também tive muito medo, raiva, revolta, mas não me afastei da minha fé nem da esperança. Também descobri o quanto sou amado. O que mais uma pessoa pode querer na vida, do que o carinho de todos que ela ama? Maria Paula iniciou este trabalho que, no meu entendimento, é de suma importância para o nosso povo. Pude comprovar, durante o tempo em que estive em tratamento no Hospital do Câncer, que ali os profissionais são os alicerces da instituição. Agradeço novamente aos meus amigos, a minha família, a família de Maria Paula, pelo apoio e por toda essa festa. Faço também um alerta à sociedade para a necessidade do conhecimento e investigação dos sinais e sintomas iniciais do câncer, principalmente quando falamos de crianças e jovens. Pude perceber, muitas vezes, que eles têm os sintomas mascarados e confundidos. Devemos lembrar, ainda, da importância em desmitificar o câncer, de levar a informação a todas as camadas da sociedade, da necessidade de se diagnosticar a enfermidade ainda no início.

Ele sentou-se, pois ainda estava bem fraco, e, olhando para Maria Paula, continuou o seu discurso:

— Meus amigos, por displicência, eu quase perdi o meu maior bem: a minha vida! Se isso tivesse acontecido, eu não poderia reescrever a minha história. Agradeço a você, Maria Paula, que, mais do que uma namorada e amiga, se tornou companheira da minha luta. Obrigado por me fazer uma pessoa melhor e muito, muito feliz – dizendo isso, eles selam a frase com um abraço apertado, para delírio dos presentes.

A multidão, vestida de abadás brancos e fitas lilases amarradas nas cabeças, aplaudiu e iniciou-se o *show*. João Carlos sentia-se muito cansado, mas com a sensação de dever cumprido. As esperanças de Maria Paula voltaram fortes, alicerçadas pela certeza do recomeço. Agora teria a oportunidade de mostrar a JC que não queria deixá-lo, que ficar ao seu lado, mesmo ele estando doente, não era nenhum sacrifício. Ao contrário, essas foram as melhores férias da sua vida.

A multidão aplaudia. Toda a galera da praia subiu ao palco para abraçar o amigo.

Uma lágrima que teimava rolar pelo rosto de Lucrécia foi enxugada carinhosamente por Olímpio, que, sentado ao seu lado na área reservada do evento, não perdia nada do que acontecia.

Os pais de Maria Paula ficaram lado a lado com a família de João Carlos, em uma atitude de solidariedade que só o amor poderia promover.

O evento foi um sucesso absoluto e o objetivo da menina rica e considerada mimada por algumas pessoas foi alcançado, finalmente, frustrando os planos de quem julga pela aparência.

O resultado financeiro da ação foi destinado a várias instituições que prestam atendimento a pacientes com câncer, em especial àquela que atendeu a João Carlos.

Epílogo

O jovem surfista continuou o seu tratamento, assistido mensalmente pelo médico oncologista, até estar completamente curado. Já Maria Paula, que iniciou as férias com a impressão que iria virar comida fresca para mosquitos vampirescos, não retornou a São Paulo com os pais. Ela permaneceu na casa do avô para continuar os estudos na escola da região. A moça permaneceu ao lado do namorado durante toda a sua convalescência e, à medida que o tempo passava, o amor encontrava ainda mais espaço em seus corações. Os jovens reescreveram o seu próprio conceito de felicidade, vivendo e amando um dia de cada vez.

Fim

Este livro foi composto em Alegreya, 11 pt,
no formato 14cm x 21cm.
Capa em Supremo 300g. e miolo em Offset 90g.
Teve sua impressão concluída no ano de 2019.